TRAQUENARD
A LA NEIGE

ANNE MARIEL

Editions Presses de la Cité

TRAQUENARD EN LA MINEUR
TRAQUENARD EN CALIFORNIE
TRAQUENARD A HONOLULU
TRAQUENARD EN NOIR ET BLANC
TRAQUENARD EN TECHNICOLOR
TRAQUENARD AU PARADIS
TRAQUENARD à CŒUR PERDU
TRAQUENARD ÉCHEC ET MAT
TRAQUENARD ENVERS ET CONTRE TOUS
TRAQUENARD à QUATRE TEMPS

A PARAITRE
DANS CETTE NOUVELLE SERIE

TRAQUENARD AU MONDE LIBRE

Lisez cette fameuse série qui obtient un succès international.

Vous vivrez les aventures de Mike Gannon, célèbre journaliste américain mondialement connu, et de son ami AXEL ELSENER II, fils unique du magnat de la I.E.C. dont les couleurs flottent dans dix capitales à travers le monde.

Impitoyable pour lui-même, dur avec les autres, ce meneur d'hommes est également un moderne Don Juan et un fascinant séducteur.

« Surnommée "La Reine du Suspense" par la presse américaine, ANNE-MARIEL possède le secret de tenir ses lecteurs en haleine dès la première page. »

Frank Arnold, Los Angeles.

Anne-Mariel

TRAQUENARD
A LA NEIGE

Roman
Nouvelle série

Éditions de Fanval

Ce roman est une œuvre de pure fiction. Toute ressemblance avec des personnages existants ou ayant existé, toute similitude avec des événements ou des situations identiques ne seraient que pure coïncidence.

Elles sont trois qui desiraient conquérir Mike
Gannon, le célèbre journaliste américain.
NICOLE........par amour.
AMY...........par ambition.
GABRIELLA.....pour le détruire.
Dans cette lutte sauvage où chacune s'est
engagée avec tous les atouts qu'elle posséde
quelle sera celle qui l'emportera ?

PROLOGUE

Ce jour là, à Paris, dans un modeste appartement de la rue Montmartre, Nicole se penchait fébrilement sur les cartes étalées devant elle.

Anxieuse, elle leva les yeux sur la femme au visage émacié qui était assise devant elle et hochait la tête d'un air dubitatif.

Elle demanda d'une voix sans timbre :

— Ce n'est pas bon, n'est-ce pas ?

— Pourquoi n'est-ce pas bon, répondit la pythonisse qui dissimulait mal son énervement.

— Parce qu'il n'est pas sorti.

— De qui voulez-vous parler ?

— De qui ? Mais de l'homme que j'aime.

— Est-ce vous ? ou est-ce moi qui doit prédire l'avenir ? fit la femme en remontant son châle autour de son cou d'un geste frileux, car la petite salle à manger n'était pas chauffée et, dehors, il tombait une pluie fine et glacée.

Suppliante, Nicole dit :

— Ne me cachez pas la vérité. Que pense-t-il de moi ?

Le timbre net tomba comme un couperet :

— Pour être franche, il ne pense pas à vous.

— Mais...

— Il vous ignore.

— Pourquoi ?

— Il a d'autres soucis.

— Quels soucis ?

— Je ne puis rien préciser. Mais je peux vous affirmer qu'il traverse une période dramatique.

— Il est en Orient, n'est-ce pas ?

La femme ne répondit pas tout de suite, mais ferma les yeux pour mieux se concentrer sur la vision qu'elle devait évoquer.

— *Il n'y est plus. Je le vois dans un avion.*

— *Dans un avion ? Va-t-il venir en France ?*

— *Je ne puis vous le dire.*

— *En somme vous ne savez rien*, jeta Nicole *d'un ton coléreux. C'est votre métier de voir ce qui doit arriver !*

— *Croyez-vous, Mademoiselle que c'est sur un simple désir que les images m'apparaissent ?*

— *Faites quelque chose. Je vous en supplie...*

Soudain les yeux de Nicole s'étaient remplis de larmes.

— *Je l'aime ! Si vous saviez comme je l'aime !*

— *Je m'en doute. Mais je vous mentirais si je vous donnais des précisions. Je n'ai même pas un support...*

— *C'est-à-dire quelque chose lui appartenant ?*

— *Effectivement... cela aide beaucoup.*

— *J'y ai pensé.*

Fébrilement Nicole ouvrit son sac de crocodile signé Hermès et sortit un carré de soie grenat.

— *Regardez, c'est son foulard. Je le lui ai subtilisé il y a deux ans lorsque j'étais avec lui aux sports d'hiver. Je voulais avoir de lui un fétiche.*

Elle passa doucement le tissu sur sa joue.

La cartomancienne saisit le précieux talisman et le posa à plat sur la table. Elle le fixa longuement... puis fermant les yeux, elle dit :

— *Je vois... il vient... en France...*

— *Pour moi ?*

— *Non, pas pour vous.*

— *Est-ce que je vais le rencontrer ?*

— *Oui.*

Nicole joignit les mains :

— *C'est merveilleux !*

Puis soudain une ombre glissa sur ses traits.

— *Est-ce qu'il sera seul ? Une femme...*

D'un ton ferme, la voyante jeta :

— *Il n'a aucune femme dans sa vie.*

Nicole poussa un soupir :

— *Je le savais. C'est moi qu'il aimera !*

Comme devant elle, l'autre restait silencieuse, elle ajouta :

— *Dites... C'est moi qu'il aimera...*

— *Je ne puis répondre à cette question. Je vois...*

10

Brusquement elle l'interrompit :
— Que voyez-vous ?
— Il est très séduisant. Des femmes l'entourent.
— C'est possible, mais je les vaincrai. Je veux le conquérir.
— Ce sera une partie difficile.
— Peut être, mais je suis jeune et je sais qu'il me trouve jolie.
— Certes la beauté est un atout. Mais ce n'est pas toujours suffisant. Un homme demande parfois autre chose.
« Un homme demande parfois autre chose »
Ce fut cette phrase qui résonna en elle, quand, songeuse, Nicole quitta la maison vétuste de la rue Montmartre.
Que pouvait donc exiger Mike ? Elle était jolie, intelligente, sportive... douce...
Elle marchait absorbée dans ses pensées pour rejoindre la B.M.W qu'elle avait garée en double file à l'angle de la rue Cardinet. Soudain elle sursauta en voyant une main qui glissait un certain papier sous son essuie-glace...
Alors, cette fille romantique et bien élevée, bondit et jeta le mot sonore de Cambronne à la contractuelle qui venait de la verbaliser... Ce qui n'arrangea pas les choses !

Le même jour à New York.
Une belle rousse impétueuse, bottée de cuir, le sac en bandoulière, brandissant sa carte de journaliste en guise de « laissez-passer » bondissait dans un des ascenseurs du building de la grande revue « WORLD NEWS ».
Arrivée au dernier étage — repoussant l'huissier qui voulait s'opposer à son intrusion chez le Rédacteur en Chef, elle pénétra dans le bureau de celui-ci en s'écriant :
— Comment avez-vous pu cacher à la presse le retour aux U.S.A. de Gannon ?
Le grand homme, aux cheveux poivre et sel, qui donnait des ordres à sa secrétaire eut un mouvement d'indignation et ôta ses lunettes pour mieux voir cette inconnue qui osait agir avec une telle désinvolture :
— D'abord, qui êtes-vous pour vous permettre d'entrer ainsi chez moi sans vous faire annoncer ?
— Vous connaissez sûrement mon nom, je suis Amy Mac Kenzie, fit-elle d'un air de défi en se redressant.
— En effet, pour toute la presse, votre nom est synonyme de « poison »...
— Merci, jeta-t-elle d'un ton pincé.

11

Il la fixa et continua :

— *On sait aussi que vous poursuivez Gannon pour profiter de sa notoriété. Mais, à ce propos, vous prétendez qu'il ne serait plus en Thaïlande ?*

— *Il est rentré hier soir à l'aéroport international Kennedy.*

L'autre sursauta.

Certes, il savait que le grand reporter prouvait toujours un parfait esprit d'indépendance. Mais ne pas l'avoir averti de son retour, lui son rédacteur en chef c'était vraiment un manque d'égard assez inhabituel.

Mortifié il reconnut :

— *Je l'ignorais.*

Amy eut un sourire triomphant :

— *Alors, remerciez-moi, puisque je vous apprends une nouvelle d'importance, une nouvelle que vous ignoriez vous, son rédacteur en chef. Savez-vous dans quel hôtel il descend à New York ?*

— *Généralement au Waldorf.*

— *Bien. J'y vole.*

Et sans attendre la réaction de son interlocuteur elle tourna les talons et sortit de la pièce.

CHAPITRE I

Le ciel était à la fois sombre et translucide, car là-haut, dans l'infini, un croissant de lune brillait comme une faucille d'or.

Le lourd Boeïng en provenance de l'Orient semblait avoir voulu engager une course de vitesse contre la nuit qui sournoisement le cernait depuis plusieurs heures.

A 11 000 kilomètres d'altitude, il fendait l'immensité, de toute la puissance de ses réacteurs.

Dans l'appareil, les lumières étaient en veilleuse, mais tout à coup le haut-parleur vibra : une sémillante et blonde hôtesse annonça dans le micro aux passagers plongés dans un sommeil sporadique que New York étant proche, la descente allait s'effectuer par paliers jusqu'à l'atterrissage à l'aéroport International John F. Kennedy.

Aussitôt les panneaux « Défense de fumer, attachez vos ceintures » s'allumèrent dans la pénombre.

Un brouhaha confus se produisit, chacun se redressait.

Si la classe touriste était presque complète, dans le compartiment des premières, en revanche, il n'y avait que sept personnes.

Un diplomate indonésien et son épouse : lui — profil camus, ventru comme un bouddah ; elle — mince et délicate, drapée dans un sari vert jade, évoquait une précieuse déesse orientale.

De l'autre côté de l'allée un banquier norvégien au nez proéminent, au front couronné d'une tignasse grise, dormait du sommeil du juste. Plus loin un couple d'Anglais — vieux globe-trotters impénitents — avides de parcourir l'univers

13

sous toutes les latitudes. Devant eux un avocat du Texas à la face joviale, les lunettes en bataille, qui, depuis le début du voyage compulsait fièvreusement les feuillets d'un épais dossier.

Leslie, l'hôtesse, qui veillait au confort de cette classe de luxe, s'assurait que « ses clients » se conformaient aux instructions lancées par le haut-parleur.

Tous se soulevaient de leurs fauteuils. Tous... sauf un.

Il était au premier rang et depuis le décollage il se tenait raide sur son siège, le regard fixe, semblant être en dehors de tout ce qui l'entourait.

Malgré le sourire photogénique que lui avait décoché Leslie, il avait refusé le plateau du repas, mais avait avalé coup sur coup quatre « Bourbon » bien tassés, les lèvres serrées comme si le liquide était pour lui un rite machinal et sans portée.

« Un vrai poivrot » avait-elle songé...

Et puis, la lumière du plafonnier ayant touché son profil net, ses cheveux sombres, son front haut et la fossette qui creusait son menton, elle avait sursauté, car elle avait reconnu ce visage rude dont la télévision parlait et que la presse reproduisait au-dessus des articles qu'il signait dans la célèbre revue « *World News* ». Ainsi, c'était donc lui, Mike Gannon, le célèbre reporter international !

Leslie était restée un instant le souffle coupé, très impressionnée par cette découverte.

C'était donc lui ce fameux journaliste qui inlassablement, parcourait le monde à la recherche de reportages « sensas ».

Cependant, sur les photos, son masque n'avait pas cet aspect revêche. On le voyait généralement souriant, sans être beau, ses dents blanches bien rangées et la lueur malicieuse qui brillait au fond de ses prunelles illustraient la légende qui prétendait que toutes les femmes étaient folles de lui.

Mais ce soir ce visage figé, ces traits crispés démentaient sa réputation, il n'avait pas regardé une seule fois Leslie qui avec ses formes parfaites, sa chevelure incandescente et ses yeux faussement ingénus, avait l'habitude de recevoir les hommages des passagers esseulés qui voyageaient sur son vol.

Sûre de son pouvoir sur les hommes, elle avait conclu : « Il doit avoir un embêtement avec une pépée. »

Comme il restait figé, telle une statue, elle s'approcha de lui et, aimablement, décidée à obtenir de sa part une réaction, elle dit :

— Mr. Gannon, voulez-vous attacher votre ceinture, c'est le règlement.

En entendant son nom, il eut un léger tressaillement mais sans un mot ramena les sangles autour de sa taille.

Devant tant d'indifférence, elle haussa les épaules, fortement vexée, et se réfugia près du Texan qui, très en forme, lui jeta quelques paroles aimables.

Son porte-documents à la main, son imperméable jeté sur son épaule, Mike Gannon suivait la file des voyageurs qui sortaient du Boeïng.

Il dut subir les contrôles lassants des passeports et de la douane. Il exécutait machinalement toutes ces formalités, l'esprit absent, les gestes mal assurés.

Les néons de l'aérogare répandaient une clarté brutale sur la foule qui circulait dans le grand hall ; étourdi, il ferma un moment les yeux.

Il y avait tant de monde, qu'il dut se frayer un passage en jouant des coudes pour atteindre le trottoir roulant qui crachait en vrac les bagages des passagers.

Enfin, il récupéra sa valise.

Il se dirigea vers la sortie, la gorge serrée, préoccupé par une seule pensée :

« Pourvu qu'elle ne soit pas là. Que le ciel m'épargne cette nouvelle épreuve ».

Cette épreuve, c'était Janet, son ex-épouse qui, trois ans plus tôt, l'avait quitté pour se remarier avec un homme important du stock-exhange, un homme qui lui donnait l'existence luxueuse dont elle avait toujours rêvé.

Adroitement, il s'était faufilé à travers la cohue de ceux qui partaient et de ceux qui débarquaient.

Avec soulagement il atteignit la porte latérale, croyant avoir échappé au piège qu'il redoutait, quand elle surgit brutalement devant lui.

Ce teint terreux, sans l'ombre d'un maquillage, ces grands yeux sans rimmel, rouges d'avoir pleuré, ce cerne qui creusait ses joues, la rendaient presque méconnaissable !

15

Où était cette « professionnelle beauté » qui, triomphante, paradait dans les expositions et aux générales des pièces à succès, la jolie fille dont il était tombé éperdument amoureux ? Celle qui se tenait devant lui, n'était plus qu'une vieille femme, et pourtant, elle n'avait que trente-sept ans.

Elle avait poussé un cri :

— Mike...

Il s'arrêta devant elle, ne fit pas un mouvement, ne paraissant pas l'entendre.

Elle répéta :

— C'est un trop grand malheur. Je n'y survivrai pas !

Il la fixa presque avec étonnement.

Comment cette créature frivole pouvait-elle prononcer une telle phrase ?

C'était faux... Il ne la croyait pas !

Quand, sans regret, on abandonne son foyer, on survit à tous les mauvais coups du sort.

— C'est ta faute.

Elle avait parlé d'un ton si élevé que, plusieurs visages se tournèrent dans leur direction.

— Viens, ne restons pas ici, lui dit-il en lui désignant le bar dont l'enseigne au néon clignotait telle une invite.

Ils marchèrent l'un derrière l'autre, comme des automates, et s'installèrent à une table qu'un couple venait de libérer.

Janet se laissa lourdement tomber sur la banquette. Gannon remarqua que son ex-épouse, d'habitude si soucieuse de sa tenue, n'avait pas attaché son manteau de vison qui pendait lamentablement.

Il comprit subitement son désarroi, mais repoussa l'idée qu'elle souffrait. Car sa douleur à lui était sûrement encore plus profonde.

Il avait posé sa valise et son porte-documents à ses pieds, contre la paroi de bois clair.

Le regard fixe, sans expression, il passa sa main sur son front moite. Un cercle d'acier enserrait ses tempes.

La serveuse s'était approchée :

— Deux cafés, fit-il, sans consulter sa compagne.

Autour d'eux, c'était un va-et-vient incessant de consommateurs. Néanmoins, ils avaient la chance d'être à l'écart et de pouvoir s'exprimer sans témoins.

Janet sortit un mouchoir de son sac en crocodile et essuya ses yeux embués de larmes.

Relevant la tête, elle dit d'une voix amère :

— Tu es venu bien tard, tu ne pourras la revoir.

— J'étais dans un bled perdu.

— Naturellement !

Le ton sarcastique lui rappela leurs anciennes querelles.

Il poursuivit :

— Ton télégramme a mis plus de quarante-huit heures pour me toucher. J'ai dû trouver une voiture, prendre un hélicoptère et changer deux fois d'avion...

Elle jeta, acerbe :

— Cela ne m'étonne pas, avec ta manie d'aller dans des pays impossibles.

— C'est mon métier.

— Ton métier ! Il t'a éloigné d'elle, tu n'as jamais veillé sur elle.

Il se redressa, les maxillaires crispés, et lança entre ses dents :

— Elle vivait sous ta surveillance, n'étais-tu pas sa mère ? Cependant, tu ne songeais qu'à des mondanités. Moralement elle était seule et abandonnée. Tu es responsable de ce drame. Jamais je ne te le pardonnerai.

Les syllabes scandées sortaient de sa bouche comme des projectiles.

Elle parut atteinte en pleine poitrine, et portant la main à sa gorge, les lèvres durcies, le souffle court, elle lança :

— Meg est morte par ta faute !

Il réagit avec violence :

— Tu es folle, complètement folle.

Janet poursuivit d'une voix creuse :

— Elle t'adorait. Tu avais de l'influence sur elle. Si tu avais été là, elle n'aurait pas voulu habiter ce studio, séparé de notre appartement. Elle n'aimait pas Al. Tu serais resté à New York, tu aurais pu la raisonner. Elle ne serait pas sortie avec cette bande. Elle ne se serait pas droguée. Elle serait encore vivante.

L'indignation empourpra le visage de Gannon :

— Assez !

Il donna un coup de poing sur le rebord de la table.

Sa tasse de café, à demi consommée, vacilla et faillit choir sur le sol. Il la rattrapa de justesse à la volée.

Un temps mort, suivi d'un silence lourd et pesant, tomba entre eux.

Muets, ils se faisaient face. La haine, tel un mur invisible, les séparait.

Gannon avait brutalement la sensation d'être balayé par une tempête, cerné par l'obscurité, isolé du monde dans une prison intérieure.

Hanté par la pensée qui soudain germait dans son cerveau, il demanda :

— Ses camarades, les connaissais-tu ?

Elle eut un geste vague de la main : l'alliance en diamants — celle que lui avait donnée Morrisson, et qui remplaçait le simple anneau d'or qu'un jour de printemps heureux il avait passé à son annulaire, jeta un éclair.

— On ne contrôle pas aujourd'hui les amis d'une fille de seize ans.

Il faillit répliquer : « Excuse facile et qui t'arrange singulièrement ». Mais il parvint à se contenir.

Il devait affronter seul ses souvenirs et prendre la terrible décision de rechercher les coupables. Il ne dit pas un mot, Janet n'aurait pas compris. Elle était devenue une étrangère. Ses réactions lui échappaient.

Chose curieuse, elle n'était même pas une ennemie. Elle n'était plus rien du tout.

D'un timbre sans modulation, elle poursuivit :

— Elle était sortie ce soir-là. Moi-même et Al étions à la grande soirée du Métropolitan. C'est au matin que la police nous a téléphoné qu'on l'avait trouvée inconsciente dans un cabaret de Greenwich Village. Une dose trop forte de mauvaise cocaïne. Meg...

Elle ne put continuer, des sanglots l'étranglaient.

Il ferma les paupières pour masquer sa douleur.

— Mike...

Elle avait prononcé son nom dans un gémissement.

Elle tenta de lui saisir la main, mais il se dégagea. Il la rejetait de sa vie. Il ne pouvait même pas souffrir son contact physique.

Elle était responsable de la mort de Meg.

Cette certitude venait brusquement de jaillir en lui.

Elle avait ouvert son sac et lui tendit une médaille d'argent où était suspendue une petite clé.

— C'est celle de son studio. Si tu veux prendre les photos

de vos dernières vacances. Tu es son père et moi je ne peux pas !

A nouveau les larmes la suffoquaient.

Il tira de sa poche un billet, le posa sur la table et se leva.

— Quoi ! tu pars ? J'étais venue te chercher car je pensais...

La voix de Janet trahissait à la fois l'accablement et la stupeur.

Glacé, il répliqua :

— Il me semble que nous nous sommes dit l'essentiel.

Il avait saisi ses bagages, se tourna vers elle, pris sans doute d'un ultime scrupule :

— Je pense que tu as ta voiture ?

— Oui, le chauffeur m'attend. J'espérais justement que tu rentrerais avec moi.

Le visage de Gannon se figea :

— J'imagine que tu plaisantes. Bonsoir Janet.

Sans se retourner, il s'éloigna.

CHAPITRE II

En quittant l'aérogare, Gannon se dirigea vers la station de taxis.

Un chauffeur noir, hilare, était au volant de la première voiture.

Il eut un large sourire quand Mike lui donna le numéro de l'immeuble de Park Avenue où se trouvait le studio de Meg.

— Chic, c'est près du Waldorf ! Je vais tout de suite trouver un client.

Il riait, montrant ses dents blanches, tout disposé à engager la conversation, mais Gannon ne lui répondit pas.

Alors, déçu, l'autre resta silencieux.

Malgré l'heure avancée, il y avait une circulation intense sur les vingt-six kilomètres qui séparent l'aéroport Franklin J. Kennedy du centre de New York.

Mais pour Gannon la durée du temps était sans importance puisqu'il arrivait trop tard pour revoir une dernière fois le visage de Meg.

Et puis, y tenait-il vraiment ?

Il ne voulait conserver d'elle que son sourire joyeux, sa moue de petite fille et la vivacité de ses yeux. Il se souvenait de leurs dernières vacances dans les montagnes rocheuses. Comme elle aimait le ski ! Ils faisaient tous deux des courses sur la grande piste.

Il avait pris d'elle (elle était si jolie) de multiples photographies mais n'en avait conservé que deux. Sans doute allait-il retrouver les autres ?

Dans l'hôtel où ils étaient descendus, il avait été fier de voir tous les regards admiratifs qui suivaient la svelte silhouette de celle qu'il considérait encore comme une petite fille. Exclusive, elle lui donnait le bras.

Un jour, elle lui avait dit :

— Je suis fière d'être avec toi... Mike (moderne, elle appelait ses parents par leur prénom). Mike, sais-tu que je veux comme toi devenir journaliste ? Tous mes copains te connaissent et t'admirent.

Il s'était écrié :

— Mon métier est déjà difficile pour un homme. Vois, ta mère n'a pas pu supporter mes longues absences. Avec un mari cela sera encore plus compliqué. Il ne voudra pas que sa femme soit continuellement aux quatre coins du monde. Choisis une autre carrière.

Impétueuse elle avait répliqué :

— Mike je ne veux pas me marier ni vivre avec un garçon.

Etonné, il lui avait dit :

— Tu changeras d'avis lorsque tu tomberas amoureuse.

Elle avait éclaté de rire :

— Impossible !

— Comment cela impossible ?

— Parce que je ne trouverai jamais un homme qui te ressemble. Tu es tellement merveilleux !

Il avait été terriblement ému par cet aveu qui reflétait l'enfant qu'elle était restée. S'il n'était pas parti pour ces lointains reportages, peut-être que ce drame horrible ne se serait pas produit. Il avait tant d'influence sur elle.

Il tressaillit : Janet ne lui avait-elle pas dit la même chose ? Serait-il responsable ?

Cette pensée le révolta. Nom d'un chien, Meg avait une mère, c'était elle qui devait veiller sur sa fille !

Mais un poids l'oppressa. Il tourna la tête et regarda à travers la vitre embuée les rues qui défilaient.

Des flaques d'ombres et de lumières l'empêchaient de distinguer les buildings de cette ville tentaculaire, dure, brutale, inhumaine. De cette ville livrée à des trafiquants sans scrupules, avides de dollars, de cette ville qui broie sans pitié une enfant sans défense, une enfant qui venait de trouver la mort.

— Monsieur... Nous sommes arrivés.

La voix du chauffeur le fit sursauter.

Le taxi était arrêté depuis quelques instants devant un luxueux immeuble mais Gannon ne bougeait pas.

22

Il régla la course, repoussant la monnaie qu'il laissa au noir, stupéfait de ce royal pourboire.

Le portier qui trônait majestueusement, à l'abri, dans sa cage de verre, et portait avec la même fierté qu'un général un uniforme galonné d'or, fronça les sourcils en voyant ce visiteur tardif.

Gannon lui confia sa valise et son porte-documents en lui glissant dans la main un billet de dix dollars, ce qui eut l'effet de détendre sa face revêche :

— Je reprendrai mes bagages tout à l'heure.

De bonne grâce le portier indiqua au journaliste le numéro du studio de Meg qui se trouvait au sixième étage :

— En face de celui de Mr et de Mrs Morrisson, précisa-t-il.

La jeune étudiante, qui détestait son beau-père qu'elle appelait « l'usurpateur », n'ayant pas voulu vivre sous son toit, Janet avait installé sa fille sur le même palier, pensant pourvoir la surveiller quand — durant les vacances scolaires — elle quittait son école pour venir à New York.

« La surveiller... Quelle dérision... Elle ne connaissait même pas ses copains ! » songea Gannon avec amertume en pénétrant dans l'ascenseur.

Lorsqu'il sortit de la cage de verre, il eut peur soudain de revoir Janet.

Si grâce à sa voiture qui roulait plus vite que son taxi elle était déjà rentrée de l'aéroport, et qu'elle guettait sa venue ? Ne lui avait-elle pas donné la clé du studio avec cet espoir ?

En sortant de la cage d'acier, il poussa un soupir de soulagement en constatant que le vestibule était désert et la porte des Morrisson hermétiquement close.

Il poussa la porte du studio avec un peu d'hésitation. N'allait-il pas découvrir ses secrets ? Violer son intimité ?

Il s'arrêta un instant sur le seuil.

Il était à présent chez Meg.

Il tourna le commutateur. Deux lampes claires s'allumèrent sur un décor moderne. Un fouillis de coussins multicolores jonchait la moquette.

A côté de l'inévitable poste de télévision, il y avait un ampli-stéréo, une chaîne hi-fi, des disques... Bref, toute

23

l'ambiance indispensable à la jeunesse actuelle à la recherche d'un bonheur fictif...

Des affiches de chanteurs en vogue ornaient les murs. Son ours de peluche — il le lui avait donné pour ses trois ans — traînait, abandonné sur le divan. Ce vieux compagnon de son enfance ne la reverrait plus. Il se sentit terriblement ému par ce rappel : au fond, elle était encore une petite fille.

Cependant sur une étagère il y avait de nombreux livres. Il s'approcha. Pêle-mêle, des romans, des bouquins d'algèbre, d'histoire et tout l'arsenal des étudiants soi-disant doués. Plus loin, les coupes qu'elle avait remportées dans des tournois de tennis (elle s'entraînait régulièrement et était considérée comme une des meilleures joueuses de Radcliffe). Il avait voulu pour elle le plus prestigieux collège des U.S.A.

Il ouvrit la penderie. A côté de son costume de cheval — elle était également une excellente cavalière — il y avait sur un cintre un luxueux blouson de daim qu'il lui avait acheté pour skier. Il vit également un pull imprimé de l'équipe de football de son école avec son nom « MEG » cousu au dos.

Devant ces vêtements qui lui révélaient la véritable personnalité de son enfant, il ressentit une douleur fulgurante :

« Elle était sportive. Le sport est incompatible avec la drogue ».

Que s'était-il passé ?

Comment Janet n'avait-elle pas soupçonné cette dégradation ?...

Qui l'avait entraînée sur cette pente fatale ?

Qui ? Qui ? Un garçon ?... Une fille ?...

Il serra les poings, sa mâchoire se contracta.

Comme, en cet instant, il souhaitait étrangler le véritable coupable ! Sans regret il l'aurait tué de ses propres mains.

En s'approchant de la table qui se trouvait à proximité de la fenêtre, une table encombrée : un sac de toile, des gants, une revue ; derrière tous ces objets répandus en vrac, il y avait un cadre et dans celui-ci une photo.

Sa gorge se serra : c'était Meg et lui !

Le cliché avait été pris sur le seuil du palace où ils étaient descendus dans cette élégante station de sport d'hiver. En apprenant la présence de Gannon, un jeune reporter du journal local avait voulu photographier son éminent confrère. Meg donnait le bras à son père et tournait en souriant son visage vers lui.

Il ferma les yeux, revivant tous les détails de cet instant. Il se sentit crucifié. Meg, sa fille chérie, avait voulu conserver ce témoignage des vacances heureuses — dix jours — qu'ils avaient passées dix mois plus tôt. Alors, à nouveau des images à la fois précises et fulgurantes traversèrent sa mémoire. Une succession de flashes : Meg en robe blanche dansant à la soirée de la Croix-Rouge. Meg en pull écarlate. Meg sur la patinoire tombant en éclatant de rire : « J'ai encore des progrès à faire ! » Meg s'élançant avec lui sur la neige immaculée : « Chiche, Mike, que j'arriverai la première... »

Elle n'était que joie et gaieté. Ses yeux étaient lumineux. La drogue n'existait pas. Il en était certain.

Alors, pour la première fois, depuis qu'il avait appris l'atroce nouvelle, il ne put contenir sa douleur.

Des larmes silencieuses coulèrent sur son visage.

Hanté par le désir de retrouver le responsable, il ouvrit le tiroir de son bureau d'acajou, mais il ne trouva rien, même pas un carnet d'adresses; des crayons, deux « paper-mate », une gomme, des bulletins de son collège.

Elle était une brillante élève. Les notes étaient élogieuses. Comme tout ceci lui faisait mal !

Il repoussa vivement le tiroir.

Rien dans cette pièce ne dévoilait son secret.

Dans la salle de bains, des objets de toilette traînaient sur la coiffeuse. Un pot de crème était ouvert; un flacon de parfum Miss Dior : il le prit et respira cette odeur légère qu'elle utilisait et qui lui rappelait presque charnellement son souvenir.

Non, elle n'était pas morte ! Elle allait ouvrir la porte et entrer en riant.

— Que fais-tu ici Mike ?

Il crut la voir. Un instant elle fut là immatérielle et cependant palpable.

Aucune comparaison ne pouvait lui faire comprendre la réalité de cette présence.

Après cette sorte d'apparition la vision d'un éclair déchirant le firmament lui parut comme un phénomène mesurable.

Cependant rien ne pouvait faire croire à une hallucination.

N'avait-il pas, durant ce fragment de la durée, franchi le seuil de l'éternité ?

Dominant la tension intérieure qui avait pris possession de lui-même, par un automatisme mental son esprit retrouva sa lucidité.

Alors, lentement, avec une impression d'extrême lassitude, il retourna dans le studio.

Il jeta un dernier regard circulaire et allait se retirer lorsque ses yeux tombèrent sur l'appareil téléphonique posé sur un guéridon près d'un feuillet froissé; il l'ouvrit et reconnut la large écriture de Meg.

Il lut : « Sally — 27 Hunt Lane — Brooklyn » ; suivait un numéro de téléphone.

Ces lignes griffonnées à la hâte avaient sûrement été écrites avant son départ pour ce fatal rendez-vous.

Qui était Sally ?

Meg n'était-elle pas allée chercher ce garçon ou cette fille pour se rendre dans ce bar de Manhatan ?

Sally. Ce nom était certainement un indice.

Enfouissant le billet dans sa poche, Gannon eut soudain la conviction d'avoir fait une importante découverte.

Pour sortir du studio, il ouvrit doucement la porte, redoutant tellement l'intervention de Janet. Peut-être le guettait-elle ?

Il attendit plus d'une minute avant de s'engager dans la galerie.

Dans l'ascenseur il respira plus librement.

Avec empressement le portier lui remit sa valise. Gannon sortit du building. La pluie avait cessé, mais l'air était imprégné d'humidité.

Quand il venait à New York, depuis son divorce, il descendait au Waldorf. Mais redoutant un appel téléphonique et même la visite de Janet, il fit signe à un taxi et se fit conduire au Plaza.

Une petite pluie, serrée, froide et pénétrante tombait tristement sur toute la région.

Le ciel s'était associé à cette cérémonie funèbre.

Le soleil n'aurait pu briller quand on portait en terre une enfant de seize ans. Une enfant joyeuse qui aimait tant la vie...

C'était dans cette petite ville, proche de Hyde Park, à plus de cent kilomètres de New York, où Mike Gannon avait vu le jour et où ses parents (tués dans un stupide accident de voiture) reposaient de leur dernier sommeil, qu'après une bénédiction donnée par le pasteur Meg allait s'endormir pour l'éternité. Le cercueil surmonté d'une grande croix d'argent avait été descendu dans la terre noire et froide.

A présent, les quelques assistants venus témoigner leur sympathie aux parents de la jeune morte s'étaient dispersés.

Janet, le visage inondé de larmes, était repartie. Elle avait voulu mettre son bras sur celui de Gannon comme si en le touchant elle aurait apaisé sa douleur. Mais il s'était dégagé de cette emprise. Grâce au ciel, elle n'avait pas insisté. Il y avait même eu dans son attitude une grande dignité.

Droit, les yeux secs, Gannon ne pouvait se détacher de ces lieux. Il restait seul debout devant la tombe où reposait son enfant, regardant sans les voir toutes ces fleurs et ces couronnes qui jonchaient le sol. Il y avait parmi celles-ci une merveilleuse gerbe de roses des camarades de la jeune morte, ces étudiants de Radcliffe qui l'aimaient.

Le meurtier n'était-il pas un de ceux qui avaient témoigné par ce geste leur stupeur et leur peine ? Ne ferait-il pas d'autres victimes ?

« Sally... Sally... »

Ce nom martelait ses tempes.

Gannon demeurait isolé avec ses pensées, formant le serment de venger Meg, de retrouver le vrai coupable et plus encore, de remonter à la source, de démasquer ceux qui, sans scrupule, font des fortunes considérables en assassinant d'innocentes victimes.

Il empêcherait de nouveaux crimes !

Le vent soudain se leva, un vent glacé qui faisait voler autour de lui les feuilles jaunies des arbres.

Gannon frissonna et remonta le col de son imperméable.

L'inaction étant pour lui une sorte de déchéance, tout à coup, il se ressaisit.

Foulant l'herbe mouillée, il rejoignit le parking où il avait laissé sa voiture, une Lincoln Mercury qu'il avait récupérée au garage le matin même.

« Sally », ce nom martelait ses tempes... « Sally » allait payer la mort de Meg.

Il mit le moteur en marche et prit le freeway en direction du Sud.

CHAPITRE III

Derrière son volant Mike Gannon avait des réflexes automatiques. Obsédé par une seule pensée : « Retrouver Sally ». Il lançait sa voiture sur la route rendue brillante par la pluie sans respecter la limite de vitesse.

Il eut la chance de ne pas rencontrer des patrouilles de police, et arriva ainsi sans encombre à Brooklyn, ce faubourg de New York qui ressemble curieusement à une petite ville de province, avec ses arbres et ce calme si reposant après l'agitation fiévreuse de la grande cité tentaculaire.

Bientôt la Lincoln Mercury descendit l'avenue Bushwick, longea Bedford puis se trouva dans Henry Street.

Gannon connaissait bien ce quartier qui donne une impression d'immensité, quadrillé par un labyrinthe de rues et d'avenues s'allongeant à l'infini ; Brooklyn est pratiquement sans gratte-ciel si l'on excepte les multiples buildings du Municipal Center qui forment un saisissant contraste.

A l'approche de Hunt's Lane, cette ruelle pittoresque donne sur d'anciennes remises et écuries transformées en habitations et où logent de nombreux artistes et intellectuels, Gannon ralentit.

Voyant un emplacement libre, il s'arrêta et se rangea le long du trottoir. Il était tout près du but de son voyage.

Il ouvrit la boîte à gants, sortit un pistolet et le mit dans la poche intérieure de son veston, puis, ignorant la pluie qui à nouveau tombait avec violence, sortit du véhicule.

Le numéro de Hunt's Lane où il se rendait était à l'autre extrémité de la rue.

Il marchait d'un bon pas, entre cette travée bordée de maisons désuètes, qui ont un cachet si particulier.

Les murs dégoulinaient d'eau et il était difficile de repérer les numéros.

Il arriva enfin devant celui qu'il cherchait.

Le 127 avait une façade en briques comme les demeures londoniennes. Un perron blanc de quatre marches, surmonté d'un péristyle, deux fenêtres étroites de chaque côté de la porte d'entrée et un seul étage.

Ceux qui l'habitaient étaient certainement des bourgeois aisés.

Il sonna... mais n'ayant pas la patience d'attendre, il tourna la poignée de la porte. Celle-ci était fermée, brutalement, dans son impatience, il donna un coup de pied dans le battant qui céda.

Il se trouva dans un assez grand living, meublé beaucoup plus pauvrement qu'on pouvait le supposer en voyant l'extérieur de l'habitation. Des rideaux de chintz aux couleurs passées encadraient les fenêtres et les fauteuils étaient recouverts de velours rapé.

Cette maison, d'assez belle apparence, devait être louée et n'était certainement pas occupée par son propriétaire.

Un cri avait retenti.

Gannon vit une femme, apeurée par sa virulente intrusion, qui, les yeux hagards, reculait en titubant au fond de la pièce. Elle portait un peignoir bleu délavé d'une propreté douteuse. Sa tête était couverte de bigoudis. Elle pouvait avoir environ une cinquantaine d'années, mais sa figure, grosse et bouffie, ses yeux enfoncés dans la graisse révèlaient qu'elle était certainement alcoolique.

D'ailleurs, une bouteille de Gin, posée près d'un verre à demi vide traînait sur la table qui occupait le centre de la pièce. Un journal froissé que la femme avait dû lâcher gisait sur la moquette.

— Que voulez-vous ? Qui êtes-vous ? hoqueta-t-elle, en voyant Gannon s'avancer.

Cet homme, qui portait un imperméable trempé et dont les cheveux ruisselants de pluie étaient plaqués sur son crâne comme un casque, lui inspirait un effroi certain.

Il ne dit qu'une phrase :

— Sally... Où est Sally ?

— Dans la cuisine.

La femme leva la main et désigna la porte qui était sur le panneau en face de la fenêtre.

Gannon sortit le pistolet de sa poche et se rua en avant. Derrière lui les deux battants claquèrent avec un bruit sec.

Sur le seuil il s'arrêta. L'endroit était sordide, des vieux placards, un mobilier vétuste; des casseroles et de la vaiselle étaient éparpillées de tous les côtés.

Il ne vit tout d'abord qu'un pull-over écarlate et qu'un Jean's.

Penché sur l'évier, Sally lavait des assiettes. En entendant ce vacarme, elle se retourna.

Gannon sursauta.

Il pensait se trouver en face d'un garçon, or, une fille très jeune, très blonde, le regardait.

Elle poussa un hurlement de terreur en voyant l'arme que Gannon tenait dans sa main droite et qu'il élevait lentement dans sa direction.

Elle était outrageusement maquillée et le rimmel qui allongeait ses cils donnait à ses grand yeux bleus une expression tragique. Ses prunelles étaient remplies d'épouvante. Sa bouche eut un frémissement.

Elle devait avoir l'âge de Meg. Elle balbutia :

— Non... Non...

Un garçon, il l'aurait descendu sans hésiter, mais cette petite, c'était impossible. La bourrasque née du désespoir qui lui avait fait perdre le contrôle de ses réactions en balayant tout raisonnement, tout à coup s'apaisa.

La réalité lui apparut soudain dans toute son horreur. Comment lui, Mike Gannon, avait-il pu en arriver à une telle extrémité ?

Il ne pouvait pas être un meurtrier.

Retrouvant son sang-froid et la maîtrise de ses nerfs exacerbés, il abaissa lentement son pistolet et dit :

— Je suis le père de Meg. Elle était votre amie, n'est-ce pas ?

Elle le regarda quelques instants la bouche ouverte, ne semblant pas comprendre ses paroles. Puis, brusquement, pour toute réponse, elle éclata en sanglots convulsifs.

Il s'approcha plus près d'elle. Un tremblement la secouait des pieds à la tête. Elle claquait des dents.

Il reprit, scandant chaque mot :

— Vous étiez avec elle dans la boîte de nuit « *Blue-light* » l'autre nuit lorsqu'elle est morte ?

Elle joignit les mains dans un geste de prière et baragouina :

— Ce n'est pas moi qui lui ai donné la drogue.

— Je ne vous crois pas.

Elle cria :

— Je vous le jure. Vous devez me croire.

Elle porta les deux mains à ses yeux, la manche de son pull glissa, il vit sur son avant-bras des traces suspectes.

Elle aussi se droguait.

Il lui saisit le poignet :

— Qui lui a vendu cette saleté ?

— Un étudiant...

— Qui ? Quel étudiant ?

— Je ne l'avais jamais vu avant. Il avait dû être envoyé par un copain.

— Comment était-il, blond ?

Elle secoua la tête.

— Brun... très brun...

— Mais encore...

— C'était peut-être un Mexicain ou un Cubain. Je ne sais pas. Il a parlé tout bas à Meg. Je ne sais pas exactement ce qu'il lui a dit. Je l'ai vue partir avec lui dans les toilettes au fond de la salle. Je... je... ne l'ai pas revue... Meg... Meg...

Les sanglots l'étouffaient.

Le rimmel coulait lamentablement en deux traînées charbonneuses sous ses yeux.

Alors, brusquement, les nerfs brisés, des larmes glissèrent aussi sur les joues de Gannon.

— Qu'est-ce que c'est que cette histoire ? Je savais bien Sally que cela finirait ainsi. Tes sorties avec tes riches copains devaient en arriver là.

Sur le seuil de la cuisine, la femme en bigoudis, se ressaisissant, s'était avancée...

Vraisemblablement cette ivrognesse — qui pour rester debout devait s'appuyer contre le mur — était la mère de Sally.

Ensuite, levant le poing dans un geste menaçant, elle invectiva Gannon :

— Quant à vous, fichez le camp où j'appelle la police !

Dédaignant de lui répondre, Mike passa devant cette mégère qui puait l'alcool.

Sans se retourner, il traversa le living-room et se retrouva dans Hunt's Lane sous un déluge.

Tout le commissariat Central bruissait comme une ruche.

Les officiers de police en civil, d'autres qui portaient l'uniforme, se croisaient dans l'immense édifice au milieu d'un tintamarre infernal.

Il y avait les téléphones, les micros, les télescripteurs, bref, tout l'arsenal électronique moderne qui maintenant fait partie intégrante des grandes administrations.

Ce jour-là, Gannon venait de retrouver le lieutenant Julian Flack, un vieil ami de longue date. Il était dans son bureau, isolé du vacarme par des cloisons transparentes et tous deux buvaient des cafés.

Flack était un homme dans toute la force de l'âge, grand, athlétique, au poil dru, aux traits rudes sous des cheveux noirs coupés court (il avait des origines indiennes) ; son sourire éclatant éclairait un visage tanné par la pratique des sports.

Il avait serré vigoureusement la main du journaliste en lui exprimant à la fois sa peine pour le malheur qui le frappait et sa sympathie :

— J'imagine pourquoi tu es venu. Tu veux savoir pour Meg, qui est le responsable ? L'enquête suivra son cours, mais ne te fais pas d'illusions. On ne trouvera rien.

Gannon qui s'était assis sur une chaise en face de Flack se leva d'un bond et répliqua avec vigueur :

— Jul... Tu dois aboutir ! Il le faut. Sais-tu que j'ai failli devenir un meurtrier ?

— Toi ? fit l'autre incrédule avec un haut-le-corps.

Gannon ayant jeté son gobelet vide dans la corbeille de plastique qui se trouvait près de la cafetière électrique, raconta comment il avait découvert le nom et l'adresse de Sally près du téléphone de sa fille, puis comment la veille, après les obsèques de son enfant, il s'était rendu comme un fou chez cette « Sally ».

— J'ignore même son nom de famille.

Donne-moi son adresse. Nous ferons une enquête. Si elle

se drogue, nous la ferons suivre discrètement et nous retrouvcrons lc pctit misérable qui vend cette saleté. Les jeunes, à peine sortis de l'école, veulent à tout prix avoir du fric, alors ils se procurent cette cochonnerie. C'est si facile d'amasser ainsi des dollars.

Il s'arrêta, ploya les épaules et ajouta :

— Chaque fois que j'en ai épinglés, c'est comme si j'avais jeté ma propre fille en prison.

De son poing Gannon frappa le rebord de la table-bureau du policier.

— Cependant, il y a bien un responsable plus haut placé que cet étudiant et je veux absolument le découvrir.

— Nous y arriverons peut-être. Mais on peut trouver ce coupable n'importe où, dans la rue, dans un stade, dans un hôtel, quelque part sur un yatch de luxe, ou recevant un sénateur dans son Club.

Étonné, Mike constata :

— En somme, celui que je recherche n'est pas un petit trafiquant ?

— Sois-en persuadé. Il est possible qu'il soit une person- nalité du monde des affaires.

— Vraiment ?

— Et qu'il porte un smoking le soir et fait des dons aux œuvres. Ces types-là sont généralement intouchables. En Europe, il paraît que des hommes, qui venaient d'Afrique ou du Moyen-Orient, munis d'un passeport diplomatique, passaient sous le nez des douaniers impuissants, de la drogue, des armes et tout ce qui est répréhensible.

Gannon répliqua :

— C'est bien possible, mais c'est scandaleux !

Julian Flack s'approcha de son ami et lui posa une main sur l'épaule :

— Laisse tomber Mike. C'est trop gros pour un seul homme. Tu te feras descendre.

Mais le journaliste secoua la tête :

— Ma fille est morte par la faute de ces canailles. Comme journaliste je peux pénétrer facilement dans tous les milieux. Je suis déterminé à découvrir les responsables.

— Même au prix de ta propre vie ?

L'autre eut un geste de lassitude :

— Meg est morte. Janet est partie. Note que pour rien au monde je ne voudrais recommencer une existence avec elle.

34

Elle a tué cet amour fou que j'avais pour elle. Chaque fois que je partais pour un lointain reportage je me disais : « Avec les dollars que je viens de gagner je vais pouvoir donner à Janet une existence de plus en plus agréable ». Or, pendant que je trimais dans des pays souvent impossibles, elle me trahissait, ajouta-t-il avec amertume.

Il prit un temps et dit :

— Jul... Tu cherches à m'empêcher de mener cette enquête. Or, tu es le seul qui puisse m'aider en me mettant sur une piste. Surtout ne me dis pas que dans tes fichiers, tu ne possèdes aucun nom. La drogue, c'est ton job.

Visiblement, ne voulant pas répondre et désirant créer une diversion, Flack sortit une boîte de Dunhill du tiroir de son bureau et la présenta à son ami.

Ils prirent chacun une cigarette et fumèrent en silence. Si le lieutenant de police pensait que Mike se résignerait facilement, il se trompait. Obstiné, Gannon reprit :

— Je ne suis pas venu te voir pour repartir bredouille, donne-moi au moins quelques informations utiles, car après tout, c'est ton boulot. Tu travailles dans cette section.

— Que puis-je te dire ? Sinon que le commerce de la cocaïne est sans doute la forme de transaction la plus lucrative du monde. C'est un énorme « business » qui est mis en route avec une terrible efficacité.

— Tu ne m'apprends rien.

— Les hommes qui en sont à la tête sont connus comme « cow-boys de la cocaïne ». A cause de leurs astuces, de leur détermination. Ils n'hésitent pas à tuer afin de protéger leurs propres intérêts. Les brigades « cow-boys » sont aussi admirablement organisées que des brigades militaires.

Il s'arrêta, secoua sa cigarette au-dessus du cendrier et poursuivit :

— Ecoute Mike, ne te fourre pas dans un tel guêpier. Ces individus ont les moyens de se procurer les meilleurs avions, les meilleurs bateaux, ainsi que les armes les plus sophistiquées. Le pouvoir de l'argent est un atout infaillible ; Ils peuvent s'offrir des tueurs, acheter toutes les consciences, même celles de militaires expérimentés pour superviser leurs opérations. Tiens, cela a commencé !...

Il n'acheva pas sa phrase car sur sa lancée, il allait peut-être dire une chose qu'il regretterait, mais Gannon avait compris, c'est lui qui prit la parole :

35

— Tu veux dire que cela a commencé pendant la guerre du Vietnam. Pour démoraliser nos troupes les ennemis leur ont fait connaître ce fléau ?

Julian approuva :

— C'est exact. Des soldats se sont drogués, puis ont trouvé lucratif à leur tour d'être des trafiquants. Si un des réseaux qui nous envahit part des terrains d'atterrissage qui se trouvent derrière les Andes en Amérique du Sud, les plus grosses quantités de drogues proviennent d'Europe, plaque tournante d'Asie. Paris, Rome...

— J'ai lu une enquête dans « *Fortune-magazine* » qui assure que si le commerce de la cocaïne était mentionné dans la liste des cinq cents plus grandes corporations mondiales industrielles, la cocaïne se trouverait au septième rang entre la compagnie « *Ford Motors* » et la corporation « *Gulf Oil* ». Est-ce exact ?

— Parfaitement. J'ai ici des statistiques dans le même sens.

Julian Flack écrasa dans le cendrier sa cigarette à demi consumée et, gravement, continua :

— Si on sortait d'Amérique l'argent que fait la drogue, notre économie s'effondrerait complètement.

Gannon sursauta violemment :

— Donc, dans ce cas, il faut fermer les yeux et laisser passer certains gros poissons entre les mailles du filet. C'est en somme cela que tu veux insinuer ?

Le policier tressaillit et sèchement rétorqua :

— Ne déforme pas ma pensée, Mike. Ah ces journalistes quelles déductions ne tirent-ils pas !

Gannon fixa Julian. Celui-ci en connaissait beaucoup plus qu'il ne le prétendait.

Mais il avait une raison pour ne pas vouloir parler. Voulait-il protéger son ami, ou bien au contraire craignait-il que Mike ne découvre un de ces gros bonnets qui était peut-être un homme politique ou un magnat de l'industrie ? Un homme que Julian Flack connaissait peut-être trop bien...

Comprenant que le lieutenant de police resterait muet, il lui dit froidement :

— Excuse-moi de t'avoir dérangé et d'avoir abusé de ton temps.

L'autre protesta avec véhémence, en affirmant qu'il avait

été très heureux de recevoir son ami. Etait-il sincère ? Gannon aurait bien voulu pouvoir lire au fond de sa pensée.

En lui serrant la main Flack dit :

— Mike, poursuis tes reportages, mais laisse tomber cette histoire. Crois-moi, tu cherches inutilement de graves ennuis.

Cette insistance lui sembla soudain suspecte. Il s'abstint de répondre et quitta le bureau.

Dès que la porte se fut rabattue sur le reporter, le policier saisit son téléphone.

En sortant de l'immense building de la police, Gannon attendit que le feu passe au rouge pour traverser la chaussée, car sa voiture était rangée assez loin dans un parking. Quand il se retrouva sur le trottoir opposé, il eut soudain une sensation étrange... Alors, il s'arrêta devant la vitrine d'une chemiserie et fixa la haute glace pour voir dans son reflet ceux qui étaient derrière lui. Il y avait beaucoup de passants et il était très difficile de distinguer si l'un d'eux s'attachait à ses pas.

Cependant, son intuition ne le trompait généralement pas. Il était certain d'être pris en filature.

Flack était très capable d'avoir donné un ordre dans ce sens. Il avait remarqué sa détermination.

Songeur, il se demanda si c'était pour le protéger ou au contraire pour l'empêcher de poursuivre son enquête que le lieutenant de police l'aurait fait suivre.

Alors, soudain, prenant sa décision, il décida que dès le lendemain, il s'envolerait pour Paris.

CHAPITRE IV

Lorsque Gannon regagna le Plaza, il laissa sa Lincoln entre les mains de l'employé chargé de la garer dans le parking, puis s'arrêta devant la boutique des journaux et fit une razzia d'une dizaine de revues, hebdomadaires et quotidiens.

Au moment où il entrait dans sa chambre, le téléphone sonnait.

Il décrocha, c'était James Wilfred, le grand patron du « *World News* » :

— J'ai pu enfin savoir que vous étiez au Plaza. J'ai contacté au moins dix hôtels avant de vous trouver. Il paraît, Mike, que vous venez de rentrer en catastrophe aux U.S.A. à la suite du grand malheur qui vous a frappé. Je suis désolé... Je voudrais vous voir.

— James j'allais justement vous appeler, pour passer au journal. Vous savez que je désirais prendre six semaines de vacances. Depuis deux ans j'ai trimé sans un jour de repos et vous étiez d'accord.

— Parfaitement...

— Alors, j'allais vous dire que j'avais l'intention de m'envoler pour l'Europe. De Paris, de Berlin ou de Rome, si je découvre quelque chose d'intéressant, je vous le câblerai. Vous savez que même lorsque je suis hors course, j'ai le métier dans le sang...

— Quand pensez-vous partir ?

— Demain, si c'est possible.

Il dit encore quelques mots au grand patron et reposa le

récepteur. Ce coup de fil tombait fort à propos, car Wilfred était toujours difficile à joindre.

Il reprit l'appareil et demanda à la standardiste du Plaza de le mettre en communication avec Air-France, l'agence de la cinquième avenue.

Son nom, connu des principales compagnies aériennes, était pour lui un atout considérable, cependant il aimait particulièrement voyager à bord des avions de la compagnie française.

Il demanda aussitôt si pour le lendemain il pouvait avoir une place pour Paris sur le Concorde.

Presque immédiatement on lui répondit :

— Il n'y a pas de problème, Monsieur Gannon. A 1 heure P.M. vous pourrez vous embarquer à John F. Kennedy, après avoir retiré votre passage à nos bureaux de l'aéroport. Nous donnons des ordres en conséquence.

Cependant, son métier reprenant le dessus, saisissant les journaux qu'en entrant il avait jetés sur son lit, il se plongea dans la lecture de plusieurs articles.

Tout à coup, il regarda son bracelet montre. Déjà sept heures trente : le temps avait passé avec une rapidité déconcertante.

Il décida de dîner au restaurant du Plaza, malgré qu'il eut préféré la « Chaumière » du San Regis — endroit agréable et discret, mais il n'avait pas le courage — bien que la pluie se fut calmée — d'aller à pied jusqu'à la Cinquante-cinquième rue.

En traversant la large galerie qui mène à la salle à manger du palace, une exclamation le cloua sur place :

— Mike... toi ici !

Il se retourna et reconnut Chris Merling un publiciste qui s'était reconverti dans la télévision.

C'était un gros garçon à la figure réjouie. Il poursuivit :

— Ainsi, tu es de retour ?

— De passage seulement (il évita de dire à cet homme qu'il connaissait peu, le motif de sa présence à New York).

Par pudeur il refusait de parler du drame qui le touchait si brutalement.

L'autre, avec un sourire épanoui, lui saisit le bras.

— Tu connais mon émission « Primetime » à la C.B.S. ? Je te convoque demain à onze heures. Tu passeras en direct et tu raconteras ton dernier reportage en Extrême-Orient. Je te fais confiance, ce sera Okay, acheva Chris qui n'avait pas permis à Gannon d'émettre un son.

— Je regrette, demain j'aurai quitté New York.

— Où vas-tu ? Que ce climat humide et cette saloperie de pluie te dégoûtent, après Ceylan, je te comprends...

L'air malicieux, levant le doigt, il ajouta :

— Tiens, ne me dis rien, je parie que tu files en Californie pour voir les belles vedettes qui se prélassent au soleil en bikini. Une jolie blonde te changera des peaux colorées.

Gannon eut un geste vague et ne répondit pas. Il ne voulait pas avouer qu'il allait en Europe.

Merling était bavard, il redoutait une indiscrétion qui aurait pu alerter Flack — à présent il se méfiait de lui.

Sa main fusa dans la direction de celle de son interlocuteur :

— Excuse-moi, mais j'ai un rendez-vous, fit-il pour ne pas prolonger cette conversation.

Afin de justifier ces paroles, il sortit du palace par la grande porte. Il connaissait un petit restaurant à proximité. Il s'y rendit. Il mangea mal, mais peu lui importait, il n'avait pas faim. Il rejoignit rapidement son hôtel.

Tandis qu'il traversait le hall du Plaza, une belle fille aux cheveux roux, très élégante, très maquillée, très sophistiquée qui, sous une cape de renard bleu, portait une robe violette moulant son corps (à sa façon de marcher elle devait être mannequin), se planta devant lui :

— Vous êtes Mike Gannon, n'est-ce pas ?

— Que désirez-vous ? fit-il surpris.

— Votre photo et un autographe. Peut-être ne m'avez-vous pas reconnue, je suis Delphy, la nouvelle cover-girl. Je fais en ce moment la couverture de « Bazaar », de « Vogue » et de trois autres petites revues...

— Je ne suis pas une vedette et je ne donne pas d'autographe, répondit-il sèchement.

La bouche carminée fit la moue :

— Mike Gannon, vous n'êtes pas gentil. Je vous admire éperdument. J'ai suivi tous vos reportages dans « *World News* » ils sont formidables. Je dois me rendre au « 21 » et je ne sais si mon cavalier va venir me chercher avec sa Rolls, car il a eu un drame à mon sujet avec sa femme. Accompagnez-moi. J'y ai une table ouverte et je vous invite.

A la manière de Marilyn Monroe, elle le fixait, les lèvres

entr'ouvertes sur des dents éblouissantes, les yeux à demi fermés derrière l'écran de ses cils chargés de rimmel. C'était tout le désir fait femme.

En un autre moment Gannon se serait sans doute laissé tenter par la proposition de cette jolie fille. Il aimait les aventures qui ne risquaient pas d'aliéner sa liberté. On est tranquille avec un mannequin vedette qui ne manque jamais de soupirants...

Esquissant un mouvement de retraite, il secoua la tête :

— Belle Delphy, je regrette beaucoup de ne pouvoir vous escorter, mais j'attends des coups de fil qui proviennent de l'autre bout du monde. Un journaliste dispose rarement de son temps à sa guise.

Elle n'écouta pas la fin de sa phrase, son visage s'était illuminé :

— Voilà Andy ! jeta-t-elle.

Un bel homme ayant la cinquantaine venait d'entrer dans le palace.

Sans un regard pour Gannon et à son grand soulagement, elle se précipita à la rencontre du nouvel arrivant.

Mike regagna directement sa chambre.

La perspective de quitter New York lui procurait une sorte d'apaisement. Depuis qu'il avait débarqué à l'aéroport, il ne pouvait plus souffrir cette ville que cependant il adorait.

Le souvenir de Meg y était encore trop vivace.

Elle n'avait que seize ans... Pourquoi fallait-il qu'elle soit ainsi partie quand il y avait en elle tant de vie, tant de dons qui ne demandaient qu'à s'épanouir ?

Il n'était pas croyant. Pour lui la cérémonie mortuaire, bénie par le pasteur n'était qu'un rite. En se retournant dans son lit, il se mit à réfléchir, cependant. Il y avait au-dessus des humains autre chose... Il ne pouvait pas ne pas y avoir un sens à une existence...

Et puis, il n'oublierait jamais cette sensation incroyable, cette sorte de vision de la présence de son enfant lorsqu'il se trouvait dans son studio. Non, ceci n'était pas dû à son imagination ! Elle était là, il en était certain.

Ce fut sur cette pensée qu'il sombra dans un sommeil agité.

Il se réveilla avant sept heures. Aussitôt sa toilette terminée, il boucla sa valise, puis il se fit servir une tasse de café noir. On lui monta également le « *New York Herald* ».

Il eut aussi les dernières nouvelles sur l'écran de sa télévision. La tension internationale était à la une...

Tout à coup, un spot publicitaire sur la 2 lui montra le visage réjoui de Chris qui annonçait son émission « Prime-time ».

Un peu avant dix heures, il décida de faire un tour dans la cinquième avenue pour tenter de s'assurer si Flack le faisait suivre.

Après avoir réglé sa note à la caisse, il constata qu'il avait une bonne heure devant lui avant de songer à gagner l'aéroport.

Il ne pleuvait plus, le ciel était clair. Un petit vent froid avait balayé les nuages.

Il désirait aller jusqu'au Rockefeller Center. Tandis qu'il passait devant les vitrines des magasins qui bordent la célèbre avenue, il tenta encore une fois de repérer dans le reflet des hautes glaces s'il n'était pas suivi.

A la hauteur de l'église Saint Patrick, il remarqua un homme jeune, au type mexicain, portant une petite moustache, vêtu d'un blouson de cuir fauve et coiffé d'une casquette écossaise. Il était certain de l'avoir déjà vu en sortant du Plaza. Cet homme semblait suivre son itinéraire, car il avait traversé à sa suite la Cinquante-cinquième rue.

Ce n'était peut-être qu'une coïncidence, mais pour en avoir le cœur net, il revint sur ses pas et pénétra chez « Tiffany ». Il désirait justement acheter un nouveau stylo.

Aimablement, avec un sourire commercial, une vendeuse vint à sa rencontre.

En ce début de matinée, la clientèle était rare.

Il s'attarda au comptoir, hésitant entre un Parker et un Waterman... Bref, il resta plus d'un quart d'heure dans le célèbre magasin en se disant : « Si je revois ce type, je serais fixé ».

Il n'avait pas fait dix pas sur le trottoir, qu'il le découvrit debout devant la vitrine d'un marchand de chaussures, feignant de regarder avec attention les modèles exposés, tout en fumant une cigarette.

Gannon hésita : ne devait-il pas aller vers cet individu et lui demander pour le compte de qui il le suivait ? Il rapporterait la scène à Flack qui verrait qu'il avait manqué de perspicacité. Mais il se ravisa, il était plus adroit de feindre d'ignorer cette filature.

Excédé, furieux de voir que le lieutenant de police le trahissait en quelque sorte, il rentra directement au Plaza.

Dans sa chambre, il téléphona pour que le bagagiste vienne chercher sa valise.

Un noir galonné se présenta :

— Déposez-la dans ma voiture une « Lincoln Mercury » qui est au parking, voici le numéro, ajouta-t-il en lui remettant le ticket que lui avait donné le voiturier.

Ensuite, il passa un coup de fil à Sam Griffin, son garagiste habituel afin qu'il vienne chercher sa voiture, comme il en avait l'habitude lorsqu'il s'absentait de New York.

— Je vous attends devant la sortie de service du Plaza, venez en taxi, faites-le attendre, je le reprendrai pour aller à l'aéroport.

— Okay, je serai là dans vingt minutes, Monsieur Gannon, répondit son interlocuteur.

Sans se presser, Mike descendit dans le hall du palace.

Il y avait de nombreux clients qui circulaient dans la vaste galerie. Il se dirigea vers l'entrée, mais ne repéra pas à l'extérieur l'homme à la casquette. Se serait-il trompé ? A moins que l'autre, plus malin, ait confié la filature à un de ses collègues.

Revenant sur ses pas, il prit un des ascenseurs qui le conduisit directement au parking. Il trouva vite sa voiture, se mit au volant et l'avança tout près de la sortie.

Il expliqua au gardien qu'il attendait son chauffeur.

Sam Griffin — un grand garçon à la chevelure flamboyante, au visage criblé de taches de rousseur, fut ponctuel.

— Le taxi est rangé près du trottoir, lui dit-il en s'avançant à sa rencontre.

Promptement, changeant de véhicule, la valise fut chargée dans le taxi qui prit aussitôt la direction de l'aéroport.

A midi juste, Gannon se présentait au bureau d'Air-France. L'employé qui avait reçu des ordres lui remit aussitôt son billet.

Ayant eu la certitude qu'il avait peut-être joué un bon tour à l'homme de Flack, Gannon fut heureux de se trouver confortablement assis dans le Concorde qui venait de décoller en direction de Paris.

Il se fit servir un scotch par l'aimable hôtesse qui s'occupait avec zèle du confort des passagers.

Durant le vol, Mike échafauda tout un plan pour démasquer les vrais responsables de la mort de Meg. Puisque Flack, non seulement ne l'aiderait pas dans son enquête pour retrouver la fameuse piste qui conduisait aux véritables responsables des trafiquants de cocaïne, mais qu'au contraire, il tenterait de lui mettre des bâtons dans les roues, il allait demander l'aide d'Axel Elsener.

Le célèbre métallurgiste français, dont le pavillon flottait sur les cinq continents, était un véritable ami. Ce magnat de l'industrie avait des contacts avec les personnalités du monde entier, des entrées dans tous les corridors du pouvoir, passant des marchés directement avec les chefs des gouvernements qui ne négligeaient pas ses conseils.

Gannon était certain qu'il ne refuserait pas de l'aider.

Le vol du Concorde fut si rapide qu'il sursauta lorsque le haut-parleur annonça l'arrivée à Paris.

Avec précision l'appareil se posa sur la piste de Roissy.

Lorsqu'il sortit de l'appareil, Mike sentit en lui une nouvelle énergie. Il était galvanisé.

Il aimait la France et il était certain qu'en Europe il parviendrait à obtenir les renseignements qu'il cherchait et qui le mèneraient sur une bonne piste.

Après avoir donné son passeport au préposé des autorités françaises, Gannon suivit les autres passagers pour aller en direction du toboggan où chacun récupérait son bien. Habitué des voyages à travers l'univers, il n'avait qu'une seule grosse valise en toile ceinturée de cuir fauve.

L'attente ne fut pas longue. Il fut vite en possession de celle-ci.

Il se dirigea ensuite vers la douane où deux employés à l'aspect nonchalant vérifiaient sans conviction apparente les bagages des passagers.

En voyant l'étiquette portant le nom de Mike, le plus jeune des douaniers aux cheveux bruns frisés qui, sous sa casquette, retombaient en frange sur le front, leva la tête tandis que son regard aigu le fixait :

— Vous êtes bien un journaliste américain ?

— Oui, je suis attaché au « *World News* ».

— Comment vous appelez-vous ?

— Mike Gannon, d'ailleurs, vous le voyez, mon nom est nettement inscrit ici, fit-il en désignant le rectangle de parchemin cerclé de cuivre.

45

— Dans ce cas, Monsieur Gannon, voulez-vous me suivre, fit l'homme en s'emparant de sa valise.

Avec un certain étonnement le journaliste obéit.

A l'extrémité de la galerie le douanier poussa une porte et entra dans une petite pièce parcimonieusement meublée, dont les murs étaient peints en bleu pâle.

Ayant déposé la valise sur une longue table, le fonctionnaire commanda d'un ton hostile :

— Voulez-vous l'ouvrir ?

Gannon eut un sursaut :

— Mais enfin, qu'est-ce que cela signifie ? Vous pouviez fort bien fouiller mes affaires comme vous l'avez fait pour les autres voyageurs. N'avez-vous pas examiné tout à l'heure mon porte-document, sans commentaire ?

Le journaliste, qui parlait admirablement français, poursuivit, véritablement exaspéré par un tel procédé vexatoire.

— Répondez-moi. Que se passe-t-il ?

Sans lui répondre, le douanier qui avait repoussé sa casquette à l'arrière de sa tignasse répliqua, mordant :

— Il ne se passera rien, si vous n'avez rien à vous reprocher.

Nerveusement Gannon prit dans sa poche la clé de sa valise et la tendit à l'homme.

Il avait rangé soigneusement ses vêtements. Un à un ceux-ci furent extraits, les poches de ses trois vestons minutieusement examinées.

Les bras croisés Mike regardait avec ironie cet officier subalterne des douanes qui se livrait à une véritable fouille en règle, comme s'il avait été quelque terroriste. Heureusement, il avait eu la bonne idée de laisser son révolver dans la boîte à gants de sa voiture. Il était furieux en constatant que sans ménagement son linge était éparpillé sur la table.

Ironique, il dit :

— Après avoir bouleversé toutes mes affaires, j'espère que vous aurez au moins la politesse de les remettre en place.

Le douanier ne lui répondit pas, la porte derrière Mike s'était ouverte sur un homme portant le même uniforme, un collègue à la face plate, un individu grand et fort, tout en muscles, qui avait la stature d'un catcheur, demanda :

— Tu as trouvé quelque chose ?

— Je n'ai pas encore terminé la valise.

En prononçant cette phrase il tenait dans sa main

plusieurs chaussettes, soudain, en en dépliant une, il poussa une exclamation :

— Voilà ce que nous cherchions !

Il brandit un petit sac en plastique transparent, rempli de poudre blanche, l'ouvrit, mit son doigt à l'intérieur et renifla celui-ci :

— Aucun doute ! C'est bien de la coco...

CHAPITRE V

Abasourdi, Gannon avait suivi cette scène, se demandant s'il ne rêvait pas.

Il était tellement éberlué qu'il avait la sensation d'avoir reçu un coup de matraque sur le crâne. Aussi demeura-t-il quelques secondes sans réaction.

Le douanier à la figure ronde, au nez de bouledogue et aux muscles de catcheur, aboya :

— Déshabillez-vous !

Revenu à la réalité, et soulevé par l'indignation, Mike s'écria :

— Je suis victime d'un abominable complot. On a mis cette saloperie dans ma valise pour me compromettre.

L'homme eut un gros rire :

— Cette chanson, je la connais. C'est toujours la même quand on démasque un salaud.

Rouge de colère, Gannon brandit son poing en avant, prêt à envoyer un direct dans la gueule de cet individu, et cria :

— C'est vous qui êtes un salaud, *Son of a bitch* ! lança-t-il en anglais.

Mais comme ce fonctionnaire ignorait cette langue, il resta impassible sous cette injure.

Le frisé intervint à son tour :

— Ne le prenez pas sur ce ton, cela vous coûterait cher !

— Déshabillez-vous ! ordonna l'autre en posant la main sur l'avant-bras de l'Américain.

Vigoureusement Mike se dégagea de son emprise.

— Ne me touchez pas ! Bas les pattes !

Menaçant, le colosse hurla :

49

— C'est un ordre ! Vous devez obéir.

— C'est entendu, je vais me soumettre à votre loi. Vous allez pouvoir me fouiller, puisque c'est votre droit. Mais avant, je veux savoir le nom du salopard qui m'a foutu dans ce sale pétrin.

Le jeune aux cheveux crêpus jeta :

— Vous faites du cinéma, et nous, nous faisons notre boulot.

— Laissez-moi en douter. Alors que tous les autres voyageurs sont restés à la douane, vous m'avez interpellé. Pour moi c'est une preuve suffisante. J'ai été signalé par celui qui a planqué cette saleté dans mes affaires. J'ai donc le droit de savoir son nom, entendez-vous ?

Visiblement à bout de patience, révolté, fou de rage, maintenant, il menaçait les deux hommes. Une fureur folle, aveugle, s'étant emparée de lui, il continua :

— Je refuse de me laisser fouiller si vous ne parlez pas.

Il avait croisé les bras sur sa poitrine, toisant les deux fonctionnaires avec un air de défi.

Le douanier musclé se tourna alors vers une porte, l'ouvrit et appela :

— Brigadiers ?

Presque immédiatement deux policiers en uniforme jaillirent sur le seuil. Des costauds grands et forts. Gannon était certain que ceux-ci, prévenus, se tenaient à proximité, guettant le signal du douanier chef.

Mike fixa ses adversaires qui allaient sûrement se déchaîner sur lui. Il avait la sensation d'être un fauve traqué par des chasseurs !

« Ainsi, ils sont quatre contre moi » songeait-il en reculant instinctivement contre le mur.

La mise en scène avait été soigneusement réglée.

— Fouillez ce voyageur, dit le gros douanier, en levant la main pour désigner l'Américain.

Avec un ensemble digne d'un ballet parfaitement exécuté, chaque homme saisit Gannon par un bras. Celui-ci réagit avec force : d'un mouvement des coudes et du buste, il tenta inutilement de lutter contre cette double emprise.

Le catcheur lui-même avec une satisfaction sadique, lui arracha son veston ; le frisé le seconda, ôtant son pantalon, sa chemise et son caleçon.

Gannon qui vainement tentait de s'opposer à cette fouille humiliante se retrouva nu comme un ver.

Les doigts d'acier des policiers entraient dans sa chair brunie par la pratique des sports comme des étaux d'acier lui laissant des empreintes blanchâtres.

Au moment où l'un d'eux l'empoignait rudement par une épaule, d'un mouvement tournant plein d'adresse, Gannon glissa sur le côté et lui envoya un violent coup de pied dans le bas ventre, lui donnant dans l'aine une douleur explosive qui le fit hurler.

— Dégueulasse ! Salopard ! cria son compagnon, tandis que le douanier catcheur réagit en envoyant à Mike un direct sous le menton.

L'attaque fut si imprévue et si brutale que Gannon perdit l'équilibre et roula sur le sol.

Alors, les trois hommes s'acharnèrent sur lui, le tabassant avec férocité. Ils éprouvaient certainement une joie perverse à le rouer de coups, le clouant sur le sol tel un poulet prêt pour la cuisson. Tuméfié, saignant du nez, Gannon était vaincu, comme autrefois dans l'arène le gladiateur qui succombait sous le trident du rétiaire.

Soudain un courant d'air frais passa sur son corps brûlant et le fit frissonner.

Il sut que quelqu'un venait d'ouvrir la porte.

A travers un nuage rouge, il vit deux pieds qui avançaient dans sa direction, tandis qu'une voix tonnait :

— Avez-vous fini ? espèces de brutes !

Comme par miracle les coups s'arrêtèrent de pleuvoir sur le malheureux.

Un silence pesant était tombé dans la pièce, puis le catcheur prit la parole :

— C'est un affreux trafiquant, Monsieur le commissaire ! On a trouvé dans sa valise cette cocaïne, fit-il en brandissant le petit sac en plastique.

Le nouveau venu sursauta et saisit le sachet tandis que l'autre poursuivait :

— Il a refusé de se laisser fouiller. C'est un homme dangereux. De plus, il a amoché Merlon. Il fallait lui donner une leçon.

La voix du nouveau venu hurla :

— Sortez tous ! Votre façon d'agir est scandaleuse. Je ferai un rapport en haut lieu.

Le chef des douaniers implora :

— Monsieur le Commissaire, ne faites pas cela. On a peut-être été un peu fort mais l'attitude de ce mec nous a tous énervés...

— Assez ! Sortez !

Cette fois-ci pas une protestation ne s'éleva.

Les pas s'éloignèrent.

La porte claqua.

Un profil se pencha sur Gannon qui tentait de se redresser en se mettant sur un coude.

Il poussa un cri en reconnaissant le visage haut en couleur, sous les cheveux clairsemés et la petite moustache taillée en brosse du commissaire Anicet qu'il avait eu plusieurs fois l'occasion de rencontrer lorsqu'il venait à Paris.

L'autre n'était pas moins stupéfait.

Il s'exclama :

— Mike Gannon ! Est-ce possible ? Vous ici dans cet état ! Vous, que ce gros porc accuse d'être un trafiquant. Je ne puis le croire.

— Et vous avez raison, commissaire, je suis victime d'un coup monté.

L'autre hocha la tête, à moitié convaincu.

— Nous allons parler de tout ça.

Anicet ouvrit une petite porte derrière Gannon et ajouta en lui désignant un lavabo :

— Allez vous laver. Remettez-vous en état. Ensuite, venez me trouver ; mon bureau est en face. Car je suis maintenant le responsable du service de Roissy. A tout de suite.

Gannon était persuadé que le commissaire allait aplanir toutes ses difficultés. Il se trompait car, si Anicet en le voyant dans cet état avait témoigné à la fois sa stupeur et sa sympathie, après avoir posé le sachet de cocaïne sur son bureau, il le fixait d'un air dubitatif.

Après avoir tant bien que mal réparé les dégâts causés par son passage à tabac, Gannon entra chez le commissaire. Son visage portait encore les traces de cette lutte inégale et sauvage qu'il avait soutenue contre les représentants de la loi : une longue estafilade griffait son front et si son saignement de nez s'était arrêté, sa lèvre supérieure était tuméfiée.

Anicet qui se tenait debout devant une carte géante de l'aéroport, s'avança vers l'Américain, mais son expression n'était pas avenante.

— Commissaire, vous ne pouvez savoir combien je suis heureux de vous avoir retrouvé, s'écria son visiteur presque joyeusement.

L'autre fronça les sourcils :

— Gannon, je dois vous avouer, pour être franc, que de mon côté, je n'éprouve pas une joie délirante de vous voir en France dans une telle circonstance...

Mike se redressa, visiblement outragé :

— Je vous ai dit que je suis victime d'un complot. Quelqu'un a voulu me perdre.

Les traits du commissaire demeurèrent crispés, visiblement, il n'était pas convaincu.

— Pourquoi vous a-t-on visé ? Vous allez me dire : « Parce que je suis un journaliste américain... »

— Pas du tout. C'est pour un tout autre motif.

— Lequel ?

— Je vais tout d'abord vous présenter les faits dans un ordre chronologique.

— Je vous écoute.

Le commissaire lui désigna de la main un fauteuil de cuir qui se trouvait en face de celui où il venait de s'asseoir.

D'une voix étranglée, Gannon reprit :

J'avais une fille. Au milieu de la semaine dernière, alors que j'étais dans le bled aux environs de Colombo, j'ai reçu de mon ex-femme un télégramme. Ma petite Meg venait de mourir. Une piqûre de cocaïne. Une drogue frelatée qu'un trafiquant lui avait vendue à New-York dans une boîte de nuit. J'étais fou de douleur, et décidé à me venger.

Alors, il énuméra tous les faits sans omettre un détail, et même comment après sa découverte, dans le studio de Meg, de ce papier portant le nom et l'adresse de « Sally » il s'était rendu, comme un fou, à Brooklyn, et avait failli, aveuglé par sa douleur, devenir un meurtrier...

Puis il narra sa visite à Flack. La longue conversation qu'il avait eue avec le lieutenant de police espérant que celui-ci, chargé spécialement de pister les trafiquants, l'aiderait en lui fournissant des renseignements utiles. Mais Flack, qu'il croyait son ami, lui avait conseillé « Laisse tomber, c'est trop gros pour toi Mike... »

Le policier avait expliqué que les vrais responsables du trafic de la drogue étaient des hommes si importants qu'ils se situaient au-dessus des lois. Ils faisaient partie d'une sorte de maffia internationale. Que le plus important marché d'héroïne venait d'Extrême-Orient, passait par l'Europe. Voilà pourquoi, obstiné, malgré les conseils de Flack, Mike était venu en France.

— Pourquoi Paris ? Il y a aussi des points stratégiques tels qu'Amsterdam, Düsseldorf et Marseille.

— Je voulais retrouver mon ami Axel Elsener I. Je suis certain que lui m'aidera.

— Pourquoi lui, plus qu'un autre ?

— Parce que ce magnat de l'industrie est en contact avec toutes les plus grosses fortunes du globe. Des gens intouchables, a prétendu Flack...

Anicet hocha la tête :

— Il affirme des choses qui sont loin d'être contrôlées.

— Il doit cependant être au courant. C'est son boulot. Du reste, Monsieur le commissaire, j'ai eu l'impression qu'il avait regretté ses paroles.

— Vraiment ? Pourquoi ?

— Parce qu'il doit soupçonner certaines personnalités politiques d'être mêlées à cet affreux trafic. Deux probabilités : ou il craint des embêtements si je les démasque, ou il veut les protéger parce qu'il les connaît trop bien.

Anicet eut un haut-le-corps.

— Je crois, Gannon, que vous y allez un peu fort.

— Je n'en sais rien, et je souhaite me tromper car je n'aimerais pas appeler « ami » un homme qui ferait ce double jeu. Cependant, il y a une chose troublante.

— Laquelle ?

— En quittant le building de la police centrale, j'ai eu l'impression d'être suivi.

Le commissaire fixa son visiteur.

— La perte de votre fille vous fait imaginer des choses assez invraisemblables.

— Ce soir-là, je n'ai rien remarqué.

— Vous voyez bien.

— Mais le lendemain matin j'en ai eu la certitude.

— Comment cela ?

— J'ai repéré un type, j'ai fait un test. Sans contestation possible, il me filait.

— Vous en êtes sûr ?

— Certain. Flack m'avait fortement conseillé de rester tranquille or, lorsque je l'ai quitté, il connaissait ma détermination : je ne voulais pas l'écouter.

— Je pense qu'il vous a donné un sage conseil.

Gannon se leva d'un bond :

— Comment Commissaire, vous parlez comme lui ?

— Je le comprends. Dans notre métier, on n'aime pas les amateurs. Ils brouillent généralement les cartes que nous possédons, et perturbent nos enquêtes. Réfléchissez Gannon, Flack est votre ami, pourquoi vous aurait-il fait suivre ?

— Pour être renseigné sur mes déplacements.

— Peut-être voulait-il vous protéger ?

— J'y ai tout d'abord pensé, mais je pense plutôt qu'il désirait me mettre définitivement hors course.

Légèrement ironique Anicet jeta :

— Dans ce cas, vous pensez que ce serait lui qui aurait fait planquer ce sachet de cocaïne dans votre valise ?

— Je ne puis l'affirmer. Mais cependant il y aurait une certaine possibilité.

— Je ne comprends pas.

— Commissaire, vous ne voulez pas comprendre, mais vous savez très bien la suite.

Anicet parut gêné, il dit :

— Quelle suite ?

— Vous m'arrêtez et cela me donne un sérieux avertissement. Voilà pourquoi avant d'accepter que l'on me fouille, j'ai demandé au chef douanier de me révéler qui m'avait dénoncé. Il a refusé. Ce silence me confirmerait que cela provient de New York. Commissaire, répondez-moi ! Est-ce que je me trompe ? Vous devez savoir quelque chose...

— Effectivement Gannon, je sais quelque chose. Mais ce ne sont pas les services officiels des Etats-Unis qui vous ont signalé. C'est un coup de téléphone anonyme. Une voix de femme — je précise — qui a dit textuellement ceci au chef des douanes : « Ce n'est pas uniquement pour faire des reportages qu'un journaliste américain, attaché à un grand hebdomadaire — qui vient de faire un séjour en Extrême-Orient — arrivera aujourd'hui sur le Concorde. Vous trouverez dans ses bagages la raison de ses multiples voyages, c'est un trafiquant de drogue. »

C'est moi qui ai reçu la communication. J'étais loin d'imaginer que c'était vous que j'allais trouver.

— Vous voyez bien, commissaire, que c'est un coup fourré.

— Après votre récit, je suis obligé de le croire. Voilà ce que je fais de cette drogue que sans aucun doute on a fourré dans vos affaires.

Il quitta son siège, ouvrit une porte derrière laquelle se trouvait un lavabo et versa le contenu du sachet dans la cuvette et tira la chasse d'eau. Puis revenant dans son bureau, il dit :

— Gannon, ne parlons plus de cette histoire.

— Parlons-en au contraire, c'est Flack que je croyais mon ami qui a dû...

L'autre l'interrompit :

— Ne portez pas un jugement aussi hâtif. Un policier respectable, surtout avec un ami, n'emploie pas un tel procédé !

— Mais pourtant qui peut savoir la résolution que j'ai prise ?

— Vous m'avez parlé de cette Sally et de sa mère, une ivrognesse. Qui vous dit que cette femme n'est pas affiliée à une bande qui après la visite que vous lui avez faite et vos menaces, vous a fait filer ?... Ces gens-là ont des espions partout, pour un trafiquant vous êtes un homme redoutable.

— N'exagérez pas, commissaire.

— Vous êtes un grand journaliste. Vous avez accès à tous les milieux. Vous pouvez susciter des confidences, et je pense que votre ami le lieutenant de police américain a eu raison de vous dire « Laisse tomber, ce sont de trop gros poissons pour un homme seul » ... Aujourd'hui on a voulu vous rendre suspect. Voyant que ce traquenard n'a pas réussi vous allez risquer votre vie si vous vous obstinez.

Gannon serra les poings, ses yeux eurent une expression résolue :

— Commissaire, ma fille est morte par la faute de ces salauds.

— C'est entendu, je comprends votre réaction, hélas, cela ne fera pas revivre votre malheureuse enfant !

— Mais je peux sauver d'autres innocentes victimes ; « démasquer ces ignobles individus » va être mon objectif primordial. C'est pour moi une sorte de croisade.

Anicet lui posa la main sur l'épaule et dit :

— Nous sommes là pour cela ! Laissez-nous ce soin. Faites-moi la promesse de ne pas vous mêler de cette affaire. Un jour on m'appellera et c'est votre cadavre que je découvrirai.

Gannon hocha la tête et, buté répliqua :

— Commissaire, je sais que c'est en votre âme et conscience que vous me donnez ce conseil. Mais j'ai perdu ma fille. Je n'ai plus d'épouse, or, pour ne pas sombrer dans le désespoir, je me suis fixé un but : retrouver le cerveau qui dirige ce gang qui assassine des enfants sans défense. C'est avec cette idée que je puis continuer à vivre.

Anicet eut un geste d'impuissance :

— Je souhaite que rien de fâcheux ne vous arrive. N'oubliez pas Gannon que dans nos services en France, aussi bien qu'aux Etats-Unis, à la « *Drug Enforcement Administration* » nous n'aimons pas les amateurs, alors ne comptez pas sur nous pour vous aider.

— J'en prends note. Cependant, je vais vous demander une faveur.

— Si je puis vous l'accorder, ce sera bien volontiers. De quoi s'agit-il ?

— Commissaire, voulez-vous me faire le plaisir de déjeuner avec moi demain.

— Bien volontiers, mais à une condition.

— Laquelle ?

— C'est moi qui vous invite. Non, ne protestez pas. Retrouvez-moi à treize heures chez Françoise, le restaurant qui se trouve sur l'esplanade des Invalides, au sous-sol de la gare d'Air-France. C'est mon endroit de prédilection. J'y suis tout à fait chez moi et nous serons bien traités.

Gannon esquissa un sourire :

— Dans ce cas, j'accepte. Cependant, Commissaire, c'est moi qui vais être deux fois votre obligé. Au fond c'est peut-être ce que vous cherchez pour tenter encore de me raisonner.

Anicet se mit à rire.

— Je constate que vous êtes un fin psychologue.

— Donc, à demain, commissaire, mais dites-vous d'avance que j'ai toujours eu une volonté inébranlable.

CHAPITRE VI

Comme chaque fois qu'il venait à paris, Gannon était descendu au Royal Monceau. Axel Elsener II le fils de son ami (il était très lié avec les deux hommes) possédait justement une garçonnière avenue Hoche.

Quand il pénétra dans sa chambre, Mike constata qu'il était trop tard pour téléphoner à Neuilly au grand patron de l'I.E.C. et lui annoncer son arrivée en France.

Il le contacterait le lendemain.

Il tenta de joindre l'héritier de la puissante firme, mais si celui-ci travaillait consciencieusement toute la journée, le soir il se payait généralement du bon temps, rencontrant ses copains dans quelque boîte de nuit en vogue.

C'est ce qui arriva, la sonnerie retentit plusieurs fois dans le vide.

Soudain tous les événements dramatiques que Mike Gannon venait de vivre ces derniers jours, eurent brusquement raison de sa fatigue. Dès qu'il fut dans son lit, il sombra pendant presque douze heures dans un sommeil profond et sans rêve.

Lorsqu'il ouvrit un œil, il constata qu'il faisait grand jour.

En regardant sa montre, il sursauta : il était presque midi !

Il avait rendez-vous à treize heures avec Anicet. Pourvu qu'il ne soit pas en retard !

Galvanisé par la mission qu'il désirait à tout prix poursuivre, il bondit jusqu'à la salle de bains.

Il eut la chance de trouver un taxi et franchit le seuil du hall de la gare des Invalides en même temps que le commissaire qui avait rangé sa voiture de l'autre côté de l'avenue.

Le restaurant qui se trouve au sous-sol ressemble à un oasis de verdure. Les tables disséminées à travers les plantes vertes procurent une ambiance intime et fort agréable.

En voyant Anicet, le patron se précipita à sa rencontre :

— Monsieur le Commissaire, dès votre coup de fil, j'ai pu vous réserver votre table d'angle, dit-il, heureux de compter parmi ses plus fidèles clients un homme qui savait apprécier la cuisine de son chef.

— Je vous en remercie, car je vois que comme d'habitude il y a foule chez vous, fit le policier en jetant un regard circulaire sur la salle, où toutes les tables étaient occupées. Puis il désigna son compagnon :

— Monsieur Demescence, je vous présente Mike Gannon, un grand journaliste américain, j'espère que vous allez doublement nous soigner, mais avec vous, je suis tranquille, ajouta malicieusement le policier.

— Vous connaissez nos spécialités.

Au maître d'hôtel empressé qui présentait le menu, Anicet commanda les fameux escargots, que Gannon parut aimer particulièrement.

Le commissaire qui reposait son verre de Corton dit tout à coup :

— La nuit portant conseil, j'espère Gannon que vous avez réfléchi à notre conversation d'hier ?

— Certainement.

Comme la voix de Mike était sans inflexion, déjà Anicet avait un sourire satisfait persuadé qu'il était parvenu à faire entendre raison à cet obstiné journaliste, quand brusquement relevant la tête, Mike poursuivit d'un ton ferme :

— Je n'ai pas changé d'avis. Je n'ai plus maintenant qu'un seul désir. Retrouver ces bandits et les démasquer. La drogue est le mal le plus redoutable de notre époque, ne dites pas le contraire.

— J'en suis certain, je ne nie pas les méfaits qu'elle commet.

— Ces marchands de mort doivent payer leur forfait.

Anicet haussa les épaules avec lassitude.

— Libre à vous de vous flanquer dans ce guêpier !

— Vous êtes pessimiste, commissaire.

— Dites plutôt réaliste. Oubliez-vous l'affaire Niall Campbell ?

— J'étais justement à Londres à cette époque. C'est bien cet Anglais venu passé quelques jours à Paris, qui a soudain disparu et dont on a retrouvé le corps à Brest ?

— Parfaitement.

— Mais cette histoire n'a rien de commun avec l'enquête que je veux mener.

— Qu'en savez-vous ? L'affaire n'a jamais été éclaircie.

— On a parlé d'espionnage.

— Et fait beaucoup d'autres suppositions. Cela s'est passé en dehors de mon secteur. Pourtant je ne sais qu'une chose, c'est que deux mois plus tôt, fin septembre, un cargo panaméen, le « Geo III » avait été arraisonné au large d'Ouessant par la vedette des douanes et conduit à Brest où les douaniers ont découvert à bord 1.600 kilos de résine de canabis.

— Je crois me souvenir qu'on disait que ce cargo venait du Maroc.

— Effectivement, il avait fait une escale technique à Lisbonne et se dirigeait vers la Hollande, puis la Grande-Bretagne. On a même assuré que s'il avait été arraisonné dans nos eaux territoriales c'était grâce aux renseignements qu'un homme qui les traquait aurait fournis à la police internationale.

— J'ignorais ce détail.

Le commissaire eut un geste de la main :

— Je ne sais pas pourquoi je vous parle de cette affaire qui au fond ne me regarde pas car mes collègues de l'autre côté de la Manche en savent beaucoup plus que nous et ont certainement été parfaitement renseignés sur les activités de leur compatriote, qui aurait été la cinquième victime en quelques semaines des trafiquants de drogue.

Gannon interrompit le commissaire :

— Vous avouez vous-même ne pas être au courant.

— C'est exact. Cependant, je fais un rapprochement entre certains faits.

— Lesquels ?

— Savez-vous qu'un des points chauds de la cocaïne est Amsterdam ?

— C'est effectivement ce qu'on assure.

— Or, le cargo se rendait en Hollande.

— Je ne vois pas quel rapport avec Campbell.

— Il avait fait plusieurs séjours à Amsterdam. De là à affirmer qu'il connaissait ce que « Geo III » transportait il n'y a qu'un pas à franchir.

— Ce n'était peut-être qu'une coïncidence.

— C'est ce que certains ont prétendu. Dans ce cas on brouille les pistes et on parle d'espionnage. C'est un mot vague et qui est très facile pour étouffer une affaire qui pourrait mettre en cause des personnages qui occupent un rang important. Gannon, croyez-moi, ne vous obstinez pas.

— C'est vous commissaire qui vous obstinez à vouloir me faire changer d'avis.

— Vous avez reçu hier un avertissement. Songez-y. Si je ne vous considérais pas comme un ami, je ne tenterais pas de vous sauver malgré vous.

— Je sais que c'est par amitié que vous voulez me faire changer d'avis.

— Dites-vous Gannon que je ne veux pas vous voir finir au fond de la Seine « Les chaussures en ciment ne sont pas à Paris la mode la plus attirante... »

Puis songeur, il ajouta pour lui-même :

— Je voudrais pourtant épingler un riche personnage qui habite Düsseldorf. Un certain Braun, amateur de bons vins et qui a une cave réputée.

Cette petite phrase n'était pas tombée dans l'oreille d'un sourd.

Gannon venait de noter soigneusement ce nom : Braun... Il ne l'oublierait pas. Axel Elsener, le puissant industriel français n'avait-il pas justement une filiale de l'I.E.C. à Düsseldorf ? Le destin venait soudain de lui fournir une précieuse indication.

L'hôtel particulier des Elsener donnait sur le bois à Neuilly.

La résidence du magnat de l'industrie ne présentait aucun signe extérieur de richesse. De hauts murs ceinturaient le jardin. Le portier qui ouvrait la grille aux visiteurs était discrètement armé et les deux agents qui se tenaient en permanence sur le boulevard pouvaient immédiatement alerter le poste de police si quelque commando de gangsters

— sait-on jamais aujourd'hui — s'avisait de tenter un coup de force contre la demeure du P.-D.G.

Il était environ dix-huit heures lorsque Gannon, après avoir téléphoné à son ami, descendit de son taxi avenue de Madrid. A son coup de sonnette, un guichet s'ouvrit. Le portier averti et ayant reconnu le journaliste américain, la haute grille de fer de la porte qui clôturait le jardin glissa sans bruit.

Mike longea la large allée menant aux marches de pierre du perron de la grande maison blanche qui se détachait devant la pelouse.

Aussitôt la silhouette d'Adrien, le vieux serviteur dévoué de l'industriel, se détacha en ombre chinoise sur le seuil illuminé du hall d'entrée.

— Monsieur Gannon, comme je suis heureux de vous revoir, fit celui-ci avec la familiarité bienveillante que lui conférait ses longs états de service dans une maison qui était un peu la sienne.

Gannon serra la main d'Adrien qui ajouta :

— Monsieur est dans le fumoir.

Cette pièce, comme tout l'hôtel du milliardaire, avait été livrée au talent conventionnel d'un décorateur en renom : tout y était d'une riche banalité. Canapé et fauteuils de velours feuille morte de la même couleur que les rideaux qui encadraient les deux hautes fenêtres, et sur les boiseries garnissant les murs, des gravures anglaises de prix.

Axel Elsener I fumait un cigare, debout devant la haute cheminée, il accueillit avec chaleur Gannon en lui serrant les deux mains :

— Mon cher ami, combien je partage le deuil si cruel et si injuste qui vient de vous frapper.

Au même moment une porte s'ouvrit et Axel II, le fils du magnat de l'industrie, apparut sur le seuil :

— Mike... tu es à Paris et en même temps que cette bonne nouvelle, père m'apprend le drame affreux que tu es en train de vivre. Meg... je ne puis m'imaginer qu'elle n'est plus. Meg, cette fille si brillante, si charmante. Comment a-t-elle pu se laisser entraîner dans ce labyrinthe fatal ?

Tandis que l'héritier de l'I.E.C. était visiblement bouleversé par la fin tragique de la jeune fille, le P.-D.G. s'était dirigé vers le bar qui se trouvait entre deux fenêtres.

Il l'ouvrit, sortit des verres, mit de la glace et du scotch dans les gobelets de cristal qu'il déposa sur une table basse devant Gannon et son fils, lui-même prit un whisky et se cala dans un fauteuil en face de l'Américain.

L'alcool ne chasse pas les idées noires, mais cette diversion fut comme un moment de suspension qui permit à chacun de faire le point avec lui-même.

Machinalement Gannon avala une gorgée de scotch.

Axel II en fit autant, le regard perdu, en songeant que deux ans plus tôt il avait été avec Mike et Meg faire un voyage camping en Californie. Il se souvenait de cette gracieuse étudiante de quatorze ans, brillante élève, déjà si peu enfant, mais tellement femme.

Comme elle était belle ! Quelle sportive accomplie ! Elle montait admirablement à cheval et nageait comme une professionnelle. Il la revoyait sortant de l'eau, ses longs cheveux plaqués sur les joues et riant de la performance qu'elle venait d'accomplir. Elle riait à gorge déployée clignant des yeux pour éviter la clarté blessante de l'implacable soleil.

Elle incarnait la vie, cette jeunesse qui par volonté triomphe de tous les obstacles.

Or, elle n'était plus...

Quel désastre !

— Oui, quel désastre, s'écria le P.D.G. comme s'il lisait dans la pensée d'Axel II en se tournant vers lui.

Le grand patron de l'I.E.C. avait cinquante-quatre ans, son fils trente-deux. Ils se ressemblaient d'une façon surprenante. Tous deux étaient très grands, taillés en sportifs, le même visage hâlé aux traits nets et réguliers encadrés de cheveux sombres — les tempes d'Axel I étaient cependant légèrement grisonnantes — mais sous ce masque de gladiateur, ce menton volontaire, on décelait une expression de lutteurs acharnés et dans leurs yeux bleus se lisait le même défi d'arriver au but poursuivi et la même volonté farouche de mettre tout en œuvre pour réussir.

Bref, ils étaient semblables, mais pourtant...

Tandis que le grand patron portait un strict complet bleu marine, un col blanc et une cravate sombre, son fils était très décontracté dans un blouson de cuir fauve et un foulard bayadère : ces images vestimentaires prouvaient qu'une génération les séparait.

Le grand-père d'Axel Elsener I était mineur à Lens, son

père simple contremaître dans la même société de charbonnage. Dès son enfance, ce fils d'ouvrier avait fait preuve d'indéniables dons d'intelligence. Ayant obtenu une bourse à Lille pour poursuivre des études secondaires, il avait été admis à l'Ecole Centrale et était sorti dans la botte. Brillant, beau garçon, il avait épousé la fille unique d'un riche armateur nantais. Doué d'un extraordinaire sens des affaires, Axel I avait, en quelques années, centuplé le capital de son beau-père. Traitant directement avec les chefs d'États, il était vite devenu un magnat de l'industrie en multipliant le nombre de ses usines à travers le monde.

Cette réussite spectaculaire lui avait valu un grand nombre d'ennemis, mais il semblait les ignorer et pourtant, il en éprouvait parfois une certaine amertume ; peu à peu son caractère s'était endurci.

C'est avec une extrême rigueur qu'il avait élevé son fils qui possédait, lui aussi, une grande intelligence, mais qui était peut-être encore plus ambitieux que son père — à moins que ce ne fut pour le défier — Axel II avait visé l'Ecole Polytechnique dont il était sorti major. Sur ce plan, il y avait entre les deux hommes une sorte de rivalité : le polytechnicien sous les ordres du centralien, cela pouvait sembler illogique.

Axel II était convaincu que son père en éprouvait une sorte d'obscure jalousie qui rendait leurs rapports presque glacials. En outre, adolescent, il avait passé deux ans au collège de Berkeley en Californie où il avait obtenu des diplômes non négligeables.

La veille une discussion sérieuse avait opposé le père et le fils qui menaçait de quitter « la boîte » comme il disait, si ses appointements n'étaient pas augmentés, car son traitement mensuel était dérisoire.

Mais tout était rentré dans l'ordre et ce soir la plus cordiale harmonie régnait entre les deux hommes.

Gannon les avait tour à tour observés, puis, se tournant vers l'héritier de l'I.E.C., il lui dit en scandant chaque mot pour donner plus de poids à ses paroles :

— J'ai besoin du soutien de ton père.

Le P.D.G., qui secouait la cendre de son cigare au-dessus d'une coupole de bronze, sursauta :

— Que puis-je faire pour vous, Mike ?

— Je suis venu à Paris pour que vous m'aidiez tous les

deux à venger ma malheureuse enfant. Oui, je n'ai qu'un désir : traquer les misérables qui s'enrichissent d'une scandaleuse façon en tuant d'innocentes victimes.

En disant cela Gannon guettait la réaction que provoquaient ses paroles sur le visage de ses amis. Avec satisfaction il ne vit pas l'opposition comme chez le commissaire. Au contraire, le grand patron, spontanément, s'écria :

— Comptez sur moi, Mike, je ferai l'impossible pour vous aider. D'ailleurs, j'ai invité à dîner mon directeur financier qui pourra certainement vous donner des tuyaux utiles. Il connaît le milieu des affaires peut-être encore mieux que moi.

A cet instant la porte s'ouvrit et Adrien annonça :

— Monsieur Gillard.

Le directeur financier était un homme petit et terne, au teint bilieux. Une moustache sombre et rectiligne avait l'air de partager son visage en deux.

Sa façon de parler était aussi précise que ses cheveux noirs calamistrés qui essayaient vainement de masquer sa calvitie. Pourtant, si Gillard à première vue paraissait un être insignifiant, Gannon discerna aussitôt chez lui une vive intelligence, pour ne pas dire de la ruse. Il devait connaître toutes les lois et, avec astuce, savait certainement naviguer entre les pièges que celles-ci tendent invariablement aux grosses entreprises. Derrière ses lunettes à montures d'acier son regard était incisif. Il fixa Gannon sans sympathie, bien que le P.D.G. l'eut présenté comme un ami de longue date.

On le sentait méfiant et se tenant perpétuellement sur la défensive.

Pourtant, le grand patron avait ajouté :

— Un drame douloureux vient de frapper Mike Gannon. Il m'a demandé son appui, aussi, après le dîner, nous vous en parlerons plus librement, car il est possible que vous puissiez efficacement l'éclairer.

Par cette phrase, il était évident qu'Axel Elsener I ne désirait pas que d'autres soient au courant des projets du journaliste.

Le nouveau venu reposa le scotch qu'Axel venait de lui servir :

— C'est bien volontiers que je me mettrai à votre disposition, répondit Gillard au journaliste, puis, se tournant vers le grand patron, il lui parla d'un télex qu'il avait reçu en fin d'après-midi, concernant la livraison d'appareils supersoniques pour le Moyen-Orient.

Après avoir échangé quelques phrases avec le P.D.G. Gannon comprit vite pourquoi Gillard, malgré son air terne, avait été placé à un tel poste. Sa vision des choses était précise, ses pensées pertinentes. Il devait avoir une mémoire d'éléphant et un ordinateur dans le cerveau. Il était en quelque sorte le ministre des Finances de la firme.

Mais cette cascade de chiffres fut interrompue par l'arrivée de Clarisse Elsener.

C'était une très jolie femme qui ne paraissait pas ses quarante-huit ans. Blonde, les traits fins, elle avait un sourire ravissant qui lui donnait dix ans de moins que son âge. Elle portait une sobre robe de faille grise, dont la coupe étudiée révélait la griffe d'un grand couturier. Au cou, un collier de perles et à l'annulaire de la main gauche une alliance en brillants étaient ses seuls bijoux.

Elle s'avança vers ses convives, mais sous l'amabilité de surface qu'elle témoigna à Gillard, on percevait la mondaine, habituée à accueillir ceux qu'elle recevait à sa table avec une parfaite indifférence.

Par contre, elle serra avec émotion la main de Gannon en murmurant :

— Mon pauvre ami !

Elle alla s'asseoir sur un canapé.

En l'observant, Gannon comprit pourquoi le P.D.G. parlait d'elle avec tant d'admiration ; un charme incontestable émanait de toute sa personne.

Par ailleurs, il était visible qu'elle adorait son mari car sans cesse, au milieu de la conversation qui maintenant était générale, elle le regardait, quémandant son avis.

A un certain moment elle se tourna vers son fils et lui dit à mi-voix :

— Il me semble que tu pourrais mettre un veston plutôt que ce blouson pour passer à table. Regarde la tenue de ton père, nous ne sommes pas seuls.

Axel II eut un imperceptible froncement des sourcils. Visiblement cette remarque ne lui plaisait pas ; néanmoins, il disparut discrètement pour revenir quelques minutes plus tard revêtu d'un costume Prince de Galles. Une chemise blanche et une cravate aubergine avait remplacé le foulard multicolore.

En le voyant entrer, sa mère lui adressa un petit sourire satisfait. Il lui fit un clin d'œil ironique et Gannon reconnut cette sorte de complicité qui existait entre les membres de cette famille vraiment très unie, malgré certains heurts inhérents aux frottements de la vie quotidienne.

Le dîner fut servi dans l'immense salle à manger somptueuse et conventionnelle avec ses murs garnis de tapisseries des Flandres. Des bougies piquées dans des candélabres d'argent jetaient une clarté capricieuse sur le service de Sèvres et les cristaux de Baccarat.

Parfaite maîtresse de maison, Clarisse avait le don d'entretenir une conversation à bâtons rompus.

Le repas délicieux servi par Adrien et un jeune valet espagnol, se déroula avec une parfaite méthode.

Rien n'était laissé au hasard. L'entremets achevé, Clarisse s'excusa d'abandonner ses convives :

— Je dois préparer la liste des invitations pour le gala de la Croix-Rouge... Le comité compte sur moi.

CHAPITRE VII

A présent les quatre hommes se trouvaient dans le fumoir où Adrien avait servi le café et les liqueurs.

L'absence de Clarisse était pour Gannon un soulagement. Une femme est toujours émotive et encline au pardon. Et certainement Mme Elsener n'aurait pas approuvé son esprit de vengeance.

Après avoir mis son collaborateur au courant du drame qui venait de frapper son ami, le P.D.G. conclut :

— Désespéré par la mort de sa fille, Mike a décidé de démasquer ceux qui — en haut lieu — s'enrichissent d'une façon scandaleuse en protégeant les « marchands de mort ». Car ce sont ces personnages qui, occupant un rang élevé dans la haute société cosmopolite, sont « intouchables » et sont les véritables coupables.

Gillard, qui tenait à la main sa tasse de café, la reposa sur la table en songeant et se tourna vers l'Américain :

— Je comprends parfaitement votre réaction. Sans doute aurais-je un pareil réflexe si un même drame me fappait. Mais savez-vous où vous vous engagez en déclarant la guerre à de tels individus ? Je connais un peu la question. Dans tous les pays — certains sont très proches des gouvernants — souvent ils financent la campagne de presse de leurs futurs Présidents. Bref, ils sont, de ce fait, des personnages intouchables. Et, vous êtes un journaliste isolé...

Axel II l'interrompit :

— Pas isolé, puisque mon père et moi sommes avec Mike pour soutenir son action.

Gillard sursauta :

— C'est très courageux, mais terriblement imprudent !

Se tournant vers le journaliste, il continua :

— Je m'excuse de parler ainsi, mais en tant que membre de l'I.E.C. je ne puis approuver ce geste généreux. Monsieur Gannon, savez-vous que vous et ceux qui vont vous aider, seraient virtuellement condamnés à mort s'ils font une découverte qui met en péril un personnage officiel ?

Le P.D.G. intervint :

— Mon cher Gillard, vous êtes un homme de bureau, vous voyez vos chiffres, vous pouvez peut-être nous donner des tuyaux intéressants sur certains gros mouvements de fonds qui peuvent vous sembler suspects. C'est seulement cela que nous vous demanderons. Quant aux dangers : mon fils, Gannon et moi-même, nous saurons les assumer. Vous ne serez en rien mêlé à cette enquête, rassurez-vous. Le risque ne sera pas pour vous. Vous pourrez dormir tranquillement sur vos deux oreilles, on ne viendra pas mettre une bombe devant votre domicile.

Gillard était devenu rouge en écoutant son Président. Celui-ci en somme le traitait de pleutre et ne ménageait pas ses mots. Il eut l'impression de recevoir une gifle et cela le mortifia terriblement.

Sa main tremblait lorsqu'il reprit sa tasse de café pour terminer son breuvage. Cependant il ne pouvait rester sur l'impression qu'il venait de donner et, s'adressant à Gannon :

— Savez-vous où vous vous engagez en déclarant la guerre à de tels individus ?

— On m'a prévenu. J'ai déjà été averti par un de mes amis lieutenant de police américain, et ici par un de ses collègues français.

Il se redressa et, scandant ses mots, continua :

— Aucune menace, aucun danger ne me fera reculer. Si j'ai débarqué à Paris, c'est que le gros trafic de cocaïne passe par la France.

— Marseille est, paraît-il, un point névralgique, dit Gillard.

— Paris également. Mais il y a aussi Hambourg et Düsseldorf, ajouta Gannon en songeant à Braun.

Le P.D.G. intervint :

— L'I.E.C. y a implanté d'importants bureaux. Un prétexte est facile pour aller à Düsseldorf et rendre visite à notre directeur, Wolf Keyer ; Il a de nombreux contacts avec toutes les personnalités de la région, il pourra sans doute utilement nous renseigner.

Une nouvelle fois, Gillard intervint :

— Je connais personnellement Wolf Keyer. C'est un homme qu'il ne faut pas attaquer de front. Il a le sens de l'amitié et protégera toujours un ami. Si vous voulez obtenir certains renseignements de lui il faudra agir avec diplomatie. Autrement il sera muet comme une carpe, surtout s'il soupçonne que, dans son entourage, on peut se livrer à quelque trafic.

Le grand patron sourit :

— Moi aussi, je connais Wolf. Peut-être que vis-à-vis de vous il observerait une grande réserve, mais il sait que c'est à moi qu'il doit le poste qu'il occupe. Je suis certain qu'il fera l'impossible pour m'aider.

— Je le souhaite. Mais j'ai l'impression qu'il n'aimerait pas être mêlé à ce genre d'enquête. L'Allemagne s'est relevée magistralement après la dernière guerre, grâce aux capitaux américains, mais pas seulement grâce à eux. La mafia — qui agit dès qu'elle voit une possibilité d'accroître sa puissance — s'est également trouvée là.

Axel II intervint :

— Mon père a raison. Si Keyer sait quelque chose, il se confiera à nous. De plus, il est en contact avec les principaux gros bonnets de l'Allemagne fédérale je suis persuadé que, dans ce domaine, il est bien renseigné.

D'un ton déterminé, il ajouta :

— Mike, c'est moi qui vais t'accompagner à Düsseldorf.

On sentait qu'il piaffait d'avance à l'idée non seulement d'aider son ami, mais aussi de se lancer dans cette brûlante aventure.

Malheureusement ce n'était pas l'opinion de son père.

— C'est moi qui escorterai Mike !

— Pourquoi ? fit-il étonné en se retournant.

— Parce que tu oublies que dans deux jours tu dois t'envoler pour l'Argentine.

— Je peux reporter ce voyage à une semaine, je vais télégraphier à Manos.

Mais, d'un ton sec, le P.D.G. lui coupa la parole :

— Il n'en est pas question. Notre groupe attend une décision rapide après le rapport qu'il nous a fait ; La firme japonaise ELKA tente de nous supplanter dans la vente de nos réacteurs. Il faut que ce soit nous qui enlevions le marché. Si nous n'emportons pas ce contrat avec le gouvernement, cela menace d'handicaper notre grand groupe argentin de fabrication. Donc, Axel, à mon regret, il n'est pas question que tu partes pour Düsseldorf avec notre ami.

Gillard approuva, Gannon de son côté dit au dauphin de la firme :

— Je comprends parfaitement les raisons de ton père. Je puis très bien me rendre seul à Düsseldorf et avec une lettre de recommandation demander un rendez-vous à Wolf Keyer.

Gillard, qui marchait de long en large dans la pièce, répondit :

— Dans ce cas, vous n'obtiendrez non seulement aucun résultat, mais cette visite risquera de vous griller auprès des trafiquants dont les oreilles traînent partout. N'oubliez pas qu'à Roissy on a déjà tenté de vous éliminer en mettant de la drogue dans vos bagages. En voyant que vous persévérez, malgré cet avertissement, vous risquez simplement votre vie.

Axel II s'approcha de son père :

— Je sais que cette histoire de contrat avec ELKA peut attendre le mois prochain. Le gouvernement argentin ne doit pas se décider rapidement, laisse-moi accompagner Mike.

Le grand patron eut un geste d'impuissance.

— Il est dit que tu veux toujours avoir raison.

Tandis que cette discussion avait lieu à son sujet, Gannon songeait qu'en lui offrant leur aide, les Elsener se plaçaient eux-mêmes dans une situation très risquée.

Il ne serait pas surpris si un groupe de tueurs (connaissant les intentions de ses amis) faisaient brutalement irruption dans le fumoir.

Comme si sa pensée seule pouvait faire agir les faits, un bruit de voix retentit soudain de l'autre côté de la porte qui s'ouvrit avec fracas sous le nez d'Adrien, impuissant à contenir l'élan fougueux d'une jeune personne qui s'arrêta pile devant le groupe des quatre hommes qu'elle ne s'attendait visiblement pas à trouver en face d'elle.

Très élégante dans une tunique turquoise pailletée d'or,

les cheveux auburn encadrant le minois d'une chatte sauvage, avec des yeux en amandes, un nez court et une bouche sensuelle, elle était singulièrement sexy.

Stupéfaite, elle dit au grand patron :

— Oncle Axel, excusez-moi. J'ignorais que vous étiez en conférence.

Elle embrassa le P.D.G. posa un baiser distrait sur la joue d'Axel II, tandis qu'Adrien rétorquait :

— Mademoiselle Nicole, vous n'avez pas fait attention lorsque je vous ai dit que ces messieurs n'étaient pas seuls.

Mais elle n'écoutait pas le vieux serviteur. Reconnaissant soudain Gannon, elle le fixa comme pétrifiée. Elle crut que son cœur s'arrêtait de battre. Une vague de bonheur la submergea. Elle se jeta impétueusement dans ses bras :

— Mike ! Vous ici ! Vous êtes en France ! C'est merveilleux. Vous ne m'avez pas prévenue, ajouta-t-elle d'un ton de reproche.

Stupéfaits, le père et le fils regardaient ce tableau.

— Comment Nicole, tu connais Mike ? dit le P.D.G.

— Nous nous sommes rencontrés il y a deux ans en Suisse, aux sports d'hiver, Il fut même mon professeur de ski. Comment va Meg ? Est-elle à Paris avec vous ?

Un manteau de glace parut tomber dans la pièce.

Devant le silence qui suivit, Nicole devina aussitôt qu'un drame était survenu. Ce fut son cousin qui, en quelques mots, lui annonça la fin tragique de la pauvre enfant. Evoquant la pythonisse, Nicole était devenue très pâle ; Aurait-elle pu imaginer une telle tragédie ? Elle revint près de Gannon et lui serra les deux mains, les yeux embués de larmes :

— Pardonnez-moi... Je ne savais pas... Tout ce que je peux dire maintenant serait déplacé.

Mais Mike lui sourit :

— Nicole, je suis si heureux au contraire de vous revoir.

— Pourquoi es-tu venue sans te faire annoncer ? reprocha presque durement le grand patron à sa nièce.

— Parce que je pensais entraîner Axel pour l'ouverture d'un nouveau cabaret. Comme aujourd'hui c'est mon anniversaire — oui, mon oncle, j'ai vingt ans — j'espérais bien que quelqu'un me ferait ce plaisir. Je trime toute la journée à l'école du Louvre. Ce soir c'était la fête. Malheureusement je tombe mal, excusez-moi.

Gannon s'avança et lui prit la main :

— Pourquoi, Nicole ? Je ne veux pas assombrir cette soirée et si Axel vous accompagne, je me joins à vous.

— Mike, vous êtes merveilleux ! Vraiment merveilleux.

D'autres mots se pressaient sur ses lèvres, mais par pudeur elle les refoula au fond de sa gorge, tant les regards étaient fixés sur elle.

Alors, se dressant sur la pointe des pieds — il était si grand — elle embrassa Gannon sur les deux joues.

Nicole était la fille de Clémence, la sœur du P.-D.G. qui avait épousé un petit libraire du quartier Saint-Sulpice. Extrêmement intelligent et doué pour les affaires, aidé financièrement par son beau-frère, Pierre Barnac avait monté une maison d'édition qui était bientôt devenue une des plus puissantes de France.

En outre, il avait lancé deux grands quotidiens, plusieurs magazines et soutenu de multiples journaux régionaux. Bref, en ce moment, Pierre Barnac pouvait se vanter d'être en France un des rois de la presse.

Très artiste, sa fille Nicole suivait l'école du Louvre. Tout à fait à la page, elle était de toutes les manifestations mondaines de la capitale.

Il y avait foule ce soir-là, pour l'inauguration du « CLUB 22 » partronné par la célèbre Régine. Cet établissement se trouvait entre le rond-point des Champs-Élysées et l'avenue Matignon, au cœur même du Paris élégant. Sous les lumières aveuglantes des projecteurs, des chasseurs en dolman écarlate, chamarré d'or se précipitaient devant l'établissement pour ouvrir les portières des voitures.

Comme les principales têtes du « Jet Set » avaient promis leur présence, des badauds, maintenus par un sévère service d'ordre, étaient massés sur le trottoir de chaque côté de la large porte d'entrée.

— Voyons, ne poussez pas comme ça, protestaient des curieux tandis que d'autres s'exclamaient :

— C'est Alain Delon... Salut Alain, lancèrent plusieurs voix à la vedette, qui se retourna et leva la main pour remercier ses admirateurs.

— Voilà Catherine Deneuve, lança un gringalet en désignant une robe de mousseline pervenche qui sortait d'une
Mercédès.

— Caroline ! Caroline ! C'est la princesse Caroline...

En entendant ce nom un délire s'empara des curieux, des
bravos crépitèrent. Il y eut une véritable ruée. Les gardes
eurent toutes les peines à contenir ce raz-de-marée humain.

Tous voulaient voir cette jolie jeune femme dont les
malheurs et les amours tumultueuses avaient déchaîné les
rubriques sentimentales du monde entier. Cette princesse
vedette des magazines du cœur qui faisait rêver les
midinettes.

Mais bientôt un autre nom courut sur toutes les lèvres :

— Mourousi ! Mourousi ! Hourra !

Le célèbre reporter de la télévision était lui aussi une
vedette à part entière.

La cascade des noms se poursuivit longtemps ainsi.

Il y avait surtout les chanteurs du petit écran dont le
visage était familier au public.

Dans ce défilé incessant, si la plupart des femmes
portaient des tenues habillées, c'est-à-dire très dénudées,
des joyaux de prix scintillaient à leur cou et de lourds
bracelets garrottaient leurs poignets. Les hommes, par
contre, délaissant le smoking, étaient vêtus souvent de
costumes peu orthodoxes : vêtements de ville, vestons de
velours, écossais, le style fantaisiste ayant de plus en plus
d'adeptes.

Régine accueillait ses invités avec sa grâce et son
sans-gêne habituels, ce qui ne l'empêchait pas d'être la
parfaite hôtesse reconnue de tous, celle qui crée une
ambiance inimitable. Intelligente, elle a au bout des lèvres
la réplique percutante qui fait mouche.

Elle serra avec effusion la main d'Axel II et eut un mot
aimable pour Gannon. Grande amie de Nicole, elle avait
retenu une table pour le trio. Une table particulièrement
bien placée, non loin de l'orchestre.

Lorsque Nicole, encadrée de ses deux chevaliers servants,
pénétra dans la grande salle, les têtes se retournèrent non
seulement sur elle, car elle était ravissante, mais surtout sur
Axel qui faisait figure de vedette. Des chuchotements
fusèrent...

« C'est Axel Elsener II ».

Ce beau gosse, dauphin de l'empire Elsener, éclipsait en ce moment toutes les autres personnalités qui se trouvaient au « Club 22 ».

Reconnaissant quelques visages amis, le dauphin de la firme s'éloigna discrètement, laissant Gannon et Nicole en tête à tête, ce qui semblait réjouir la jeune fille. Autour d'eux régnait un tintamarre étourdissant. Mais au lieu de se sentir perturbé par un tel vacarme Gannon était arraché à ses sombres pensées. La proximité de Nicole lui redonnait une sorte de tonus.

Le champagne pétillait dans les coupes. Cette boisson capiteuse procurait brusquement à Mike une euphorie imprévue. Les yeux brillants, Nicole regardait Gannon :

— Savez-vous Mike que souvent, très souvent, j'ai pensé à vous. J'envie votre passionnante existence. Parcourir le monde comme reporter n'est-ce pas le plus beau des métiers ?

Elle avait posé sa main sur la sienne.

Quelques années auparavant Gannon riait de ses avances, qu'il considérait comme les fantaisies sentimentales d'une petite fille romanesque ; mais à présent, elle n'était plus une enfant. Les rondeurs de sa gorge pleine, ses gestes assurés, son regard appuyé sous ses longs cils chargés de Rimmel, prouvaient qu'elle n'ignorait pas la vie.

Fixant toujours Gannon, Nicole poursuivit :

— Vous a-t-on déjà dit que vous aviez beaucoup de séduction ?

Puis elle lui sourit. Le sourire de Nicole cloua sur les lèvres de Gannon les mots qui allaient en sortir.

Le sourire de Nicole n'était pas un sourire quelconque, c'était un sourire intérieur qui désarmait et séduisait car il contenait à la fois une question et une réponse singulièrement grisante.

Elle quitta son siège, posa sa main sur l'épaule de Mike :

— Dansons, dit-elle en l'entraînant presqu'à son insu sur la piste au milieu des autres couples.

L'espace étant réduit, ils se trouvèrent étroitement enlacés.

Gannon percevait à travers le tissu soyeux les courbes de ce jeune corps infiniment désirable, il sentit monter en lui une bouffée de désir et en éprouva une sorte de gêne.

« Elle a presque vingt ans de moins que moi, c'est encore une enfant », songea-t-il.

Doucement, mais avec fermeté, il se dégagea de son étreinte, heureux soudain du prétexte qu'il pouvait invoquer :

— Axel, ne nous voyant pas à la table nous cherche.

Effectivement l'héritier de l'I.E.C. traînait derrière lui une bande joyeuse. Mais le soulagement de Gannon fut de courte durée en reconnaissant la fille qui donnait le bras à Axel.

Une belle rousse, Amy Mac Kenzie, journaliste américaine opportuniste et effrontée qui écrivait pour un magazine new-yorkais à potins. Très sexy, les yeux verts, une bouche charnue et sensuelle, elle obtenait des hommes tout ce qu'elle désirait. C'était le type parfait de l'aventurière qui ne s'embarrassait d'aucun scrupule pour parvenir à ses fins.

Or, elle voulait Gannon !

Elle faisait sa carrière en accrochant ses articles à ceux de Mike. Désirant attirer l'attention du célèbre journaliste elle ne négligeait aucune occasion pour s'emparer de ses idées, souvent en les déformant et faisant croire que c'était elle qui avait découvert tel ou tel sujet de reportage.

Bref, c'était une fille odieuse, arriviste et excessivement dangereuse.

Comme le nombre des fauteuils était restreint autour de la table de Nicole, sans retenue elle s'assit sur les genoux de Gannon.

— Darling ! Comme je suis heureuse de cette rencontre imprévue, fit-elle en lui plaquant un baiser brûlant sur la bouche. Ce qui ne sembla pas du tout plaire à Nicole qui fronça les sourcils.

Se tournant vers le journaliste, elle lui dit :

— Qui est cette dame ?

Assez gêné, esquissant un geste pour repousser son fardeau pesant qu'il n'avait pas désiré, il murmura :

— Un confrère...

Nicole éclata de rire :

— Drôle de confrère ! elle a plutôt l'air d'une perruche avec ses cheveux qui ressemblent à des plumes.

D'un air narquois elle fixa l'Américaine, dont le corps moulé dans une tunique émeraude ondulait contre Gannon d'une façon provocante, tandis qu'elle lui passait la main sur le front.

D'un ton sec, Nicole jeta :

— Les personnes qui sont à cette table sont mes invités et vous n'êtes pas du nombre que je sache.

Puis, se tournant vers son cousin, elle ajouta :

— Axel, veux-tu faire comprendre à cette personne, si elle est trop éméchée pour saisir le sens de mes paroles, que je ne la connais pas et que je la prie de se retirer.

L'orchestre faisant justement une pose la phrase sèche de Nicole claqua dans le silence.

Axel s'approcha d'Amy Mac Kenzie :

— Je suis désolé, mais ma cousine a raison, nous sommes à sa table.

L'Américaine était devenue cramoisie, la colère bouillonnait en elle.

Pourtant, se reprenant elle dit :

— Sur les genoux de Mike, je ne gêne personne.

— Mais moi, vous me gênez, fit Gannon en la repoussant.

— Mike tu es un mufle ! Un sale mufle, un salopard.

Visiblement elle était ivre.

Axel intervint :

— Je vous en prie, contrôlez vos paroles. Soyez correcte.

— Oh ! Toi ! la barbe, espèce de richard. Ta gueule ! jeta-t-elle en français.

Elle se mit à rire, un rire hystérique en secouant les longs pendants de strass accrochés à ses oreilles et qui encadraient son visage.

Fixant le dauphin de la firme, elle cria :

— Gosse de riche, pour la correction ne me donne pas de leçon.

À nouveau elle se suspendit au cou de Gannon et chercha sa bouche. Alors Nicole, qui, sourcils froncés, suivait cette scène, ne put contenir sa colère. Saisissant sa coupe de champagne, elle la jeta au visage d'Amy qui poussa un cri strident.

Le rimmel de ses cils se mit à couler en rigoles noires sur ses joues, la rendant affreuse, réjouissant leurs voisins qui éclatèrent de rire devant ce divertissement imprévu.

Suffoquée, furieuse, elle hurla à l'adresse de Nicole :

— Vous allez me payer ça !

Elle s'élança toutes griffes dehors sur la jeune fille, lui tordit le bras d'une main, tandis que de l'autre, elle lançait la bouteille sur les assistants qui ne cachaient pas leurs sarcasmes.

Amy entraîna Nicole sur le sol. Ce fut une véritable mêlée, robes déchirées, pieds déchaussés, bas arrachés, malgré l'intervention d'Axel et de Gannon qui tentaient d'arrêter ce pugilat.

Ce fut finalement Régine qui, outrée d'avoir accueilli chez elle cette mégère américaine, fit intervenir ses employés qui séparèrent les antagonistes et finirent par rétablir le calme dans ce Club sélect.

Furieuse de voir que Gannon n'avait pas pris ouvertement son parti, lors de cette bataille de dames, Nicole avait rétabli, tant bien que mal, le désordre de sa tenue.

En passant devant Mike, elle fit un pas dans sa direction, mais elle comprit qu'il resterait drapé dans une hautaine dignité. Alors elle courut jusqu'à la porte, sortit et remonta dans sa B.M.W. Elle se sentait désespérée. La tête appuyée sur le volant, elle éclata en sanglots. Mike ne l'aimait pas. Il préférait cette abominable journaliste. Oui, la cartomancienne avait raison : « Elle n'était rien pour lui... » Elle appuya sur le démarreur et comme un automate rentra chez elle...

Après cet esclandre, Axel avait entraîné Gannon :

— Sortons de ce Club, ne terminons pas la soirée sur une telle image. Allons à Saint-Germain-des-Prés.

Ils entrèrent dans un bar calme et s'installèrent au comptoir.

Quand ils eurent commandé des whiskies, Gannon lui dit :

— Es-tu certain de ne pas avoir voulu te joindre à la bagarre ou tout au moins faire l'arbitre entre ces deux furies déchaînées ?

— J'ai horreur de ce genre d'exhibition. De plus, Nicole avait un verre dans le nez, elle est ma cousine et son attitude ne m'a pas plu.

Gannon qui faisait tourner les morceaux de glace dans son verre dit songeusement :

— Néanmoins ton attitude m'a surpris : les Français passent pour être chevaleresques. Pourtant, tu es un don Juan...

— J'ai horreur de ce qualificatif.

— Les journalistes te le donnent.

— Si cela leur fait plaisir, je n'y suis pour rien, j'accepte cette étiquette. Cependant je n'ai rien du don Juan romantique. Je suis moderne, terriblement moderne même.

— Explique-toi.

— Ma vie se définit en trois choses : le travail, les femmes et l'aventure. Bien que souvent ces trois choses ne soient pas classées dans cet ordre.

— Le travail devrait toujours arriver en dernier, fit Gannon en riant.

— Tu te trompes. Oublies-tu que je suis un Elsener ? et que, comme mon père, je suis contraint de bosser ? Ce n'est pas toujours drôle, je te l'accorde, et je préférerais peut-être courir le monde à la recherche d'aventures imprévues. Il est certain que si je n'avais pas eu cet héritage, d'abord, je n'aurais pas fait Polytechnique et sans doute aurais-je été un explorateur. J'aime l'imprévu sous toutes ses formes.

Gannon, qui avait sorti un paquet de cigarettes de sa poche, en alluma une, puis, sans transition, demanda :

— As-tu une « Lamborghini » ?

— Je n'en ai pas une, mais deux, une blanche et une rouge.

— Peut-être pourrais-tu m'en prêter une pour mon voyage à Düsseldorf ?

— Bien volontiers. C'est le moins que je puisse faire pour toi. Tu pourras choisir la couleur qui t'inspire le mieux.

— La rouge alors.

— Très bien. Quand penses-tu partir ?

— Demain.

— Si vite ?

— Je ne veux pas m'éterniser à Paris. Je pense à Meg et je n'aurai de repos que lorsque j'aurai démasqué les misérables.

— Je te comprends. Tu partiras dans la journée ?

— Tard le soir.

— Très bien. Au début de l'après-midi, je ferai déposer la voiture par mon mécanicien devant le Royal Monceau. Tu trouveras dans la boîte à gants tous les papiers de la bagnole, la clé sera déposée à ton nom chez le concierge.

— Merci, Axel. Tu es vraiment un ami. Je savais que je pouvais compter sur toi.

Ce soir là, Gannon songea à Nicole avec attendrissement. A plusieurs reprises, il fut sur le point de lui téléphoner, car il se reprochait son attitude et voulait s'excuser de sa lâcheté apparente. S'il n'avait pas voulu intervenir dans la bagarre, c'était parce que la petite était la cousine d'Axel qui aurait pu se méprendre sur l'affection sincère qu'elle lui inspirait.

Ah ! si seulement elle n'avait pas été aussi jeune !

Après son altercation avec Nicole, Amy avait été soudainement dégrisée. Comment avait-elle pu perdre sa dignité et se conduire avec une telle audace en s'asseyant sur les genoux de Gannon ?

Amy était beaucoup plus secouée qu'elle n'avait voulu le laisser paraître. Journaliste, commençant à se faire un nom dans la presse aux U.S.A. elle s'était habituée à « foncer » lorsqu'elle désirait être la première pour faire un reportage mais ce soir elle avait dépassé la portée de ses réactions.

Quand elle se retrouva seule dans sa chambre de l'hôtel Windsor où elle était descendue, elle se laissa tomber sur son lit. Gannon s'étant installé au Royal-Monceau, elle n'avait pas voulu résider sous le même toit sachant qu'en la découvrant dans son sillage il se serait éclipsé Dieu sait où.

Cependant elle n'aimait pas Mike ou du moins se refusait-elle de donner ce nom à l'admiration sans borne qu'elle lui vouait.

Après deux aventures malheureuses avec des confrères qu'elle avait successivement cru follement aimer, à vingt-sept ans, elle s'était murée dans une sorte d'indifférence méprisante, se donnant les allures d'une femme sans scrupules et qui passait facilement pour une aventurière. Elle songeait que tous les hommes sont des salauds, qu'ils ne désirent une femme que pour satisfaire leurs besoins sexuels, mais qu'ils sont dénués de tout sentiment. « Si je les barre de mon existence, je ne poursuivrai plus dans la vie qu'un seul but : *arriver*! ».

Quand elle avait rencontré Gannon à Tokyo, elle avait été aussitôt impressionnée, non seulement par son nom prestigieux, mais également par son physique et sa désinvolture.

En outre, il ne lui avait pas dit comme la plupart des journalistes, en lui frappant sur la croupe :

« Alors, ma belle on va finir la nuit ensemble ! »

La réserve de Mike l'avait conquise, mais également

inquiétée. « Il se moque éperdument de moi... », avait-elle pensé.

Sachant qu'il n'était pas homosexuel elle s'était dit : « Je ne suis sans doute pas son type. » Pourtant elle se savait séduisante. A l'unanimité elle ralliait tous les suffrages. Un des directeurs du « *Times Newspapers* » ne lui avait-il pas dit :

« Amy, avec votre jolie petite gueule vous devez obtenir des mâles tout ce que vous désirez. »

Tout ?... Sauf de Mike Gannon... Systématiquement, il la repoussait ou se dérobait. Pourquoi ? Il était cependant libre, divorcé et vivant seul ; elle avait tout d'abord été surprise, puis blessée par son indifférence, puis elle s'était dit : « Son dédain ne doit pas m'affecter. Si je ne compte pas pour lui, je dois me servir de Mike comme d'un tremplin pour : *arriver*. Pour cela j'aurai de l'audace. Toujours de l'audace. Toujours plus d'audace ».

Ce soir la présence de Nicole avait tout remis en question. La jeune Française était riche et jolie. Elle avait depuis l'enfance vécu dans le luxe, n'avait jamais eu à lutter comme Amy (sa mère faisait des ménages et son père était maçon) pour terminer ses études.

Sur le plan social un abîme séparait les deux jeunes femmes. Cela au fond n'aurait pas été grave — les Américains ignorent cette sorte de jalousie — si Nicole n'avait pas été aussi jolie. En outre elle avait un « back ground » et cela devait compter aux yeux de Mike dont les meilleurs amis étaient les puissants Elsener. Qu'était Amy en face de cette fille comblée ?

Alors, peut-être pour la première fois depuis longtemps, Amy pleura, d'abord sur son inqualifiable stupidité et puis parce qu'elle venait de découvrir qu'elle aimait Mike. Elle l'aimait sans espoir...

CHAPITRE VIII

Gannon quitta Paris beaucoup plus tard qu'il ne l'avait projeté. Il était près de minuit.

A plusieurs reprises il avait tenté de joindre le commissaire Anicet, mais celui-ci était toujours absent.

A l'heure prévue, il avait trouvé devant le Royal Monceau la Lamborghini rouge qu'Axel avait fait déposer dans la contre-allée de l'avenue Hoche.

Le concierge du palace lui avait remis une enveloppe contenant les clés de la voiture avec ces deux mots :

« Bonne chance » Axel.

Depuis onze heures du soir, une pluie fine et persistante, sorte de crachin, s'était mise à tomber sur la capitale.

Elle redoubla lorsque Gannon s'engagea sur l'autoroute ; en outre, une brume glacée recouvrait maintenant la campagne réduisant la perception des distances.

La nuit, les camions roulent généralement très vite, mais la voiture que conduisait Gannon avait un moteur puissant, il dépassa le cent quatre-vingts à l'heure, ce qui était terriblement dangereux. Mais il s'en moquait éperdument.

Il avait consulté une carte routière et savait qu'il devait passer par la Belgique, en contournant Liège.

L'autoroute Paris Liège n'offrait aucune difficulté.

Il s'arrêta à la douane, montra ses papiers et put poursuivre sa route sans problème.

Il était environ deux heures du matin quand il remarqua dans son rétroviseur les phares d'une voiture qui roulait à distance régulière de la Lamborghini.

Sans y prêter vraiment attention il avait déjà vu ces deux

lumières blafardes et puissantes à la sortie de Paris. Il avait cru, tout d'abord, qu'un automobiliste, stimulé par son puissant véhicule, voulait engager avec lui une course de vitesse. Tout à coup il eut la certitude du contraire, quand, en ralentissant, l'autre voiture ne tenta pas de le dépasser mais au contraire continuait de le suivre à égale distance.

Cela lui sembla étrange.

Aucun doute, on le prenait en filature.

Il avait à présent dépassé Liège et allait aborder la frontière allemande quand il constata que les phares de son suiveur étaient toujours derrière lui !

De plus en plus bizarre !

Sur l'autoroute il dépassait de nombreux poids lourds et, pour semer son poursuivant il décida de se glisser entre un énorme camion suisse qui transportait des légumes et un car de tourisme venant de Munich dans lequel somnolaient de nombreux voyageurs.

Entre ces deux mastodontes, il se trouvait ainsi dissimulé aux yeux du conducteur qui le pistait.

Pour le semer, il venait d'imaginer une manœuvre hardie, qui consistait à se lancer dans une bretelle en éteignant ses phares. Ainsi, il y avait beaucoup de chance pour que la voiture qui était à ses trousses ne puisse discerner son stratagème.

Éteignant ses phares, ne laissant allumé que son tableau de bord, Gannon guettait sur la droite la première travée accessible.

Après environ deux kilomètres, il l'aperçut. Alors, brusquement, il donna un grand coup de volant et se retrouva sur une route secondaire qui montait après un large virage.

Les yeux fixés sur son rétroviseur, Gannon surveillait qu'il était bien seul sur cette voie secondaire. Durant quelques secondes, il fut persuadé — grâce à son astuce — avoir réussi. Mais, bientôt, deux disques lumineux trouèrent la nuit.

Aucun doute, c'était la voiture de son poursuivant.

Alors, il accéléra à fond.

Le chemin était rocailleux, à peine carrossable. La Lamborghini sautait, les amortisseurs grinçaient et pourtant derrière lui l'autre conducteur gagnait du terrain.

Gannon comprit que sa manœuvre n'avait pas été habile. Maintenant, isolé dans cet endroit désert, il était à la merci de son ennemi (car celui qui le suivait avec un tel acharnement ne pouvait être qu'un ennemi).

Pour se diriger dans les ténèbres, il devait se guider sur la ligne d'horizon plus pâle. C'était terriblement périlleux, car le sol était détrempé et gras. A plusieurs reprises l'arrière de la Lamborghini chassa.

Après une courbe le véhicule fut brutalement projeté contre un petit mur de ciment et Gannon se rendit compte qu'il ne pouvait continuer de conduire ainsi dans l'obscurité. Cependant, derrière lui, l'autre véhicule se rapprochait dangereusement.

Il alluma ses phares et, horrifié, découvrit qu'il roulait au bord d'un précipice. Mon Dieu, où se trouvait-il ? Tout à coup une nappe de brouillard s'étendit devant lui, l'emprisonnant comme dans un suaire.

Au même moment, il entendit nettement l'impact d'une balle contre sa carrosserie. On tirait sur lui !

Il accéléra en priant le ciel de ne pas aller se perdre dans le ravin.

Une seconde balle s'écrasa contre son pare-brise. On l'avait visé à la tête. Comment allait-il pouvoir sortir de ce traquenard ?

Il continuait de rouler sans savoir où il se dirigeait. La pluie qui, à nouveau, frappait les vitres de son véhicule, brouillait le peu de visibilité qui lui restait. Une violente secousse lui apprit qu'il venait de heurter un obstacle invisible.

La brume brusquement se dissipa. Il découvrit qu'il se trouvait au-dessus d'une crête devant un rocher.

Il ne pouvait songer à faire marche arrière sans tomber dans l'abîme qui se trouvait à sa droite. Sur sa gauche, une paroi rocheuse... Il était fait comme un rat.

Dans son dos, les fraisceaux lumineux de la voiture de son poursuivant se rapprochaient inéluctablement.

Il perçut encore deux détonations, puis un choc d'une telle force qu'il pensa que sa dernière heure était arrivée.

L'avant de l'autre voiture s'était écrasé sur son coffre arrière, mais, déséquilibrée par le choc, elle avait rebondi comme un ballon de football et alla s'écraser dans le ravin au milieu d'une terrifiante explosion, tandis que Gannon était projeté sur le sol.

Avant de perdre connaissance, il vit sous lui, un brasier qui trouait l'obscurité.

Combien de temps demeura-t-il sans connaissance, sorte d'état intermédiaire entre la vie et la mort ?

Il n'aurait su le dire.

En ouvrant les yeux, il constata que son arcade sourcilière était fendue et que du sang coagulé zébrait son front.

Là-bas, au fond du précipice, la voiture meurtrière achevait de se consumer et formait un amas incandescent. Comme il aurait voulu pouvoir l'identifier ! A présent, c'était impossible.

Avec peine, il se remit sur pied et constata qu'il n'avait aucun membre cassé.

Sa voiture, par contre, était inutilisable, le capot et le coffre arrière étaient défoncés.

Il put récupérer sa valise qui était intacte.

Apercevant les lumières d'un village, péniblement, il avança dans cette direction.

Après une heure de marche épuisante à travers un terrain difficile et plein de pièges, Gannon parvint à rejoindre l'autoroute.

Les lumières qu'il avait vu briller et qui guidaient ses pas étaient celles d'une station d'essence.

Il s'adressa à un chauffeur de poids lourd qui prenait du carburant et lui demanda s'il pouvait le conduire jusqu'à Düsseldorf (il avait lu le nom de cette ville sur la plaque minéralogique du camion et c'était pour lui une chance).

Le gros homme à l'aspect débonnaire s'écria sans hésitation :

— Bien volontiers. Je suis à votre disposition, je vous mènerai même à l'hôpital, car vous avez eu un sacré accident, ajouta-t-il en regardant les vêtements déchirés, tachés de sang et la balafre au-dessus du sourcil droit de l'Américain.

— J'ai dérapé sur le sol mouillé, mais je n'ai que des égratignures superficielles, en outre, je suis attendu à l'hôtel où je prendrai un bain et me changerai. S'il le faut, j'irai consulter un médecin, mais je pense que cela sera inutile.

Naturellement, tout le long du trajet sur l'autoroute, le

conducteur visiblement impressionné par cet accident, posa diverses questions :

« Où se trouvait la voiture ? »

« Il faudrait avertir un garagiste pour qu'il vienne la chercher ».

Gannon dut satisfaire la curiosité de son compagnon de route, mais modifia les faits.

Il jugeait inutile de dire qu'il avait été victime d'une voiture qui le poursuivait et que celle-ci gisait au fond d'un précipice où elle finissait de se consumer. Il n'était pas nécessaire d'aiguiser la curiosité de ce brave Allemand. Il redoutait les bavardages qui auraient pu perturber le but de son voyage.

Le camion roulait depuis presque deux heures à une vitesse modérée quand une clarté indécise annonça le lever du jour.

La brume parut soudain se déchirer à l'Est en direction du Rhin et les premiers rayons du soleil se levèrent timidement lorsque le poids lourd aborda la banlieue de Düsseldorf, immense centre industriel. De nombreux gratte-ciel se profilèrent sur le ciel pâle.

Depuis Napoléon, qui fit de Düsseldorf la capitale du grand duché de Berg, cette cité est restée le « petit Paris » de l'Allemagne de l'Ouest.

Elle est fière de son titre comme de la Königsallee — familièrement appelée Kô — cette avenue bordée de marronniers avec ses cafés, ses magasins de luxe, ses restaurants et ses terrasses enguirlandées de verdure et de géraniums.

Maintenant que le camion entrait en ville, Gannon, ne voulant pas éloigner l'obligeant conducteur de l'usine où il devait déposer son chargement, lui demanda de l'arrêter à la prochaine station de taxis, qui se trouvait du reste au premier croisement.

— Merci encore de votre complaisance, dit-il en glissant dans la main du brave homme ébloui un billet de cinquante dollars, avant de prendre place dans une confortable Mercédès.

Il donna au chauffeur l'adresse du Park Hôtel, établissement que lui avait recommandé Axel et qui se trouvait sur la Cornelius Platz.

Un portier galonné se précipita pour saisir la valise du

voyageur mais il eut un mouvement de stupeur en voyant le complet souillé et déchiré de celui-ci :

— Je devais venir en voiture, mais j'ai eu un accident, se contenta-t-il de dire au bagagiste.

A la réception, il répéta la même chose à l'employé.

En entendant son nom, celui-ci s'écria :

— Monsieur Gannon, nous avons reçu des ordres, on va vous conduire à la suite qui vous a été réservée.

Après avoir foulé une épaisse moquette et longé une spacieuse galerie éclairée par des appliques en bronze doré, Gannon avait suivi le bagagiste qui avait déposé sa valise dans l'entrée de sa « suite ».

L'employé s'était retiré et Gannon s'apprêtait à pénétrer dans le salon dont les deux battants de la porte n'étaient que poussés quand soudain en sourdine un air de Rock se fit entendre.

Que cela signifiait-il ? Surpris, Gannon s'arrêta. Qui était chez lui ? Un agresseur éventuel ?

Après l'incident de la nuit précédente, il était sur le qui-vive.

Se mettant en quête d'une arme défensive (il ne portait pas sur lui de revolver) il avisa une grosse potiche chinoise qui trônait au centre d'une console en acajou. La saisissant, il s'apprêtait à l'abattre sur un assaillant.

Pour surgir dans le salon sans lâcher son projectile, il donna un coup de pied dans les battants de la porte, prêt à faire face à toutes les éventualités.

La lumière qui tombait d'une large baie lui fit tout d'abord légèrement cligner des yeux.

Une exclamation retentit.

Avec stupeur il découvrait Axel II, en veston d'intérieur, nonchalamment étendu sur un divan qui le regardait avec effarement :

— Dans quel état tu es ! Que t'est-il arrivé ?

Sans lui répondre, l'autre s'exclamait :

— Quoi, tu es ici !

D'un bond Axel s'était levé :

— Perds-tu la tête ? Si je comprends bien tu avais l'intention de m'assommer avec cette potiche ? Drôle de façon de nous retrouver...

— Ça, tu peux le dire.

Gannon déposa le vase à ses pieds, il était absolument ahuri de voir l'héritier de l'I.E.C. qui lui criait :

— Mais, bon sang, que s'est-il passé ? Tu ressembles à un clochard !

Axel, hochait la tête et reprit :

— Dire que je t'ai suivi depuis Paris jusqu'à Liège sans incident. Puis après j'ai perdu ta trace.

— Axel, tu n'étais pas seul à me pister.

— Comment cela ?

— Il y en avait un autre.

— J'ai bien remarqué une Porsche verte qui roulait derrière toi, dit songeusement Axel. Elle était du reste immatriculée en Allemagne, cela ne m'a pas semblé bizarre.

— En voyant ces deux phares blêmes qui me collaient au train après Liège, je me suis planqué entre deux poids lourd, avec l'intention d'obliquer dès la première bretelle.

— C'est ce que tu as fait ?

— Malheureusement le salopard a deviné ma manœuvre et je l'ai retrouvé derrière moi.

Alors, il expliqua à son ami tout ce qui s'était passé.

Quand il eut fini son récit, l'autre reprit :

— Si j'avais pu me douter d'une chose pareille ! J'étais persuadé, en ne te voyant plus que je t'avais dépassé dans l'encombrement d'Aix-la-Chapelle. J'ai foncé en me disant que j'allais te faire la surprise de t'accueillir à Düsseldorf.

Se passant une main sur le front, comme pour éclaircir ses pensées, il ajouta :

— En tout cas, tu as eu dans les pattes un vrai salaud.

— Il a payé de sa vie. Je suis navré pour ta voiture, elle est dans un piteux état.

L'autre éclata de rire :

— Elle est assurée, figure-toi. D'ailleurs, cette couleur sang de vache ne me plaisait pas. Mais tu dois être épuisé et mourir de faim ! L'appartement se compose de trois pièces, une suite royale, ta chambre est à droite, la mienne est à gauche. Tu vas aller te remettre en état. Pendant ce temps, je vais commander un repas substantiel. Moi aussi j'ai la fringale, figure-toi.

La salle de bains en mosaïque verte était à la hauteur des pièces luxueuses de la suite. Gannon se plongea avec délice dans les eaux parfumées d'un bain mousseux et revigorant, tout en se demandant si le P.D.G. avait approuvé l'escapade de son fils. N'avait-il pas déclaré fermement qu'il ne devait pas aller en Allemagne, mais en Amérique du Sud pour la firme ?

Vingt minutes plus tard, se sentant en pleine forme, drapé dans un moelleux peignoir éponge, Gannon rejoignait Axel dans le salon.

Avec étonnement il découvrit qu'une table recouverte d'une nappe blanche avait été dressée au milieu de la pièce. Une énorme corbeille de fruits variés en occupait le centre. Il y avait du saumon fumé, du caviar, des petits pains, des toasts, des tasses à thé, deux coupes de cristal et dans un seau à glace une bouteille de Dom Pérignon.

— Tu vois, je fête fastueusement ton arrivée, dit Axel avec un grand geste emphatique, en écrasant dans un cendrier la cigarette qu'il fumait.

Mais, revenant à la question qui le tourmentait, Gannon lui demanda :

— Ton père sait-il que tu es venu avec moi à Düsseldorf ?

— Pas encore. Mais en ne me voyant pas, il se doutera que je t'ai accompagné. Du reste, voilà deux ans que je trime pour la boîte sans avoir eu droit à un congé légal. Je le prends maintenant : je lui téléphonerai plus tard pour l'avertir.

— Je ne pense pas que ton coup de fil lui fasse un plaisir fou.

Axel eut un mouvement imprécis :

— Qu'importe !

— Il va me maudire.

— Détrompe-toi. Il avait beaucoup d'affection pour Meg, et il comprendra que je désire t'aider et que je ne peux t'abandonner dans cette périlleuse entreprise.

Tout en parlant, il avait rapproché un siège près de la table.

Faisons honneur à ce repas. Je suppose que le thé ne t'enthousiasme pas. Alors commençons par le Champagne.

Joignant le geste à la parole, il fit sauter le bouchon du Dom Pérignon et remplit les deux coupes.

Axel avait raison, le vin pétillant procura à Mike un effet salutaire et lui donna un coup de fouet. Le saumon fumé et les toasts chauds apaisèrent sa faim.

Bientôt, il se sentit en pleine forme.

Axel, les deux pieds posés sur le fauteuil en face du sien se sentait également tout à fait détendu.

Lorsqu'ils eurent terminé ces mets succulents, le fils du P.D.G., qui semblait mener les opérations, déclara :

— Nous allons commencer par envoyer plusieurs balles à l'ennemi pour le faire sortir de sa tanière. Il ne faut pas le manquer.

— Quel est ton plan ?

— Tout d'abord aller voir Wolf Keyer, le directeur général de notre firme en Allemagne, l'interroger adroitement sur ce Braun, dont le commissaire Anicet à prononcé le nom. Tu m'as dit qu'il était amateur de bons vins, ce n'est donc pas un inconnu. Il me semble qu'il ne sera pas difficile de l'identifier.

— Si, comme nous le croyons, la drogue qui vient d'Orient ou d'Amérique du Sud transite par l'Europe, dont une grande partie par les ports de l'Allemagne, je suppose qu'Anicet n'a pas prononcé à la légère les noms de Braun et du Düsseldorf.

— C'est bien mon avis. Or, la flottille des cargos de notre compagnie opère sur ces lignes.

Avec étonnement Gannon répliqua :

— Tu ne penses pas que les bateaux de l'I.E.C. seraient capables de transporter une telle marchandise.

— Pourquoi pas ? Certes notre firme est sérieuse, mais des gens inavouables peuvent se servir de nos pavillons. Mon père pousserait un hurlement d'indignation si je lui disais que je suis persuadé que certains de nos bateaux doivent servir à un trafic, à l'insu même du commandant. Keyer dirige surtout les transports maritimes ; il pourra nous donner des renseignements utiles.

— Tu vas lui téléphoner pour lui annoncer notre visite.

— J'y ai d'abord songé, puis à la réflexion, je pense qu'il serait préférable d'aller directement à son domicile sans l'avertir.

Comme Gannon hochait la tête d'un air dubitatif, son ami expliqua :

— Je sais qu'il mène une vie privée fort peu orthodoxe. Trois fois marié, sa dernière femme ne pouvant plus le souffrir, est partie...

— Drôle d'époux !

— Sans doute, mais fameux collaborateur, mon père ne

jure que par lui. Nous irons lui rendre visite ce soir. Il ne passe à son bureau qu'à la fin de la journée car le matin son hélicoptère le mène à nos usines de Munster. Cependant, avant d'aller déjeuner, je veux te montrer notre building. Il a été terminé l'année dernière, ajouta-t-il avec orgueil.

Une demi-heure plus tard, la Lamborghini blanche d'Axel emportait les deux amis au nord de la ville.

Un joyeux soleil brillait au zénith aussi les promeneurs étaient nombreux le long des avenues fleuries et les vitrines des magasins de luxe attiraient les acheteurs.

Gannon assis à la droite du conducteur admirait cette ville accueillante, quand, tout à coup, en regardant dans le rétroviseur, il vit un motocycliste portant un blouson de cuir noir et un casque à visière lui dissimulant tout le haut du visage qui tentait de s'infiltrer entre deux véhicules : c'était une manœuvre inutile car malgré les multiples voitures, la circulation était fluide. Ce qui intrigua le plus Mike, c'est qu'il avait déjà vu cet individu lorsqu'en sortant du Park Hôtel, Axel et lui étaient montés dans la Lamborghini. Il se tenait alors à l'entrée du parking.

Aucun doute, ce motocyliste les suivait.

Il fut sur le point d'en faire la remarque à son ami, mais après son accident de la nuit précédente, ce dernier penserait qu'il était obsédé par la crainte d'un attentat.

Les bureaux de l'International Elsener Compagnie se trouvaient à la jonction de la Schadowstrasse et de la Jakobistrasse.

En passant devant les vingt-six étages du bâtiment Thyssen, Axel eut un petit sourire et dit à son compagnon :

— Si l'on juge l'importance d'une firme à la hauteur de sa structure, notre compagnie possède trente-cinq étages, donc, neuf de plus que notre concurrent.

Bientôt la Lamborghini s'arrêta devant l'entrée monumentale d'un immense gratte-ciel.

Un pavillon bleu, blanc, rouge portant les trois lettres enlacées de l'I.E.C. flottait au sommet de l'énorme bâtiment.

— Qu'en dis-tu ? demanda Axel avec fierté en désignant du doigt le fanion qui flottait au vent.

— Formidable ! répondit Gannon vivement impressionné.

Un portier au sourire bon enfant et aux joues rebondies reconnaissant le fils du P.D.G. se précipita pour ouvrir les portières tandis qu'Axel lui serrait la main et lui disait quelques mots aimables.

Mike était sorti le premier de la voiture.

En se retournant, il vit à nouveau le motocycliste qui avait ralenti et tournait la tête dans leur direction. La main droite de l'inconnu lâcha son guidon et Mike crut voir briller comme le canon d'un revolver pointé dans sa direction.

Instinctivement il se jeta derrière un des piliers d'acier qui soutenaient l'énorme voûte du péristyle.

Au même moment il perçut deux claquements secs qui passèrent au-dessus de sa tête.

Axel s'était brusquement retourné et criait en anglais :

— On nous tire dessus !

— C'est ce motocycliste, clama Gannon en désignant la machine qui fuyait dans le flot des voitures.

Le portier qui ignorait la langue de Shakespeare et de plus ne comprenait pas grand chose à la scène qui s'était déroulée dans son dos, dit calmement :

— Tous ces jeunes sur leurs engins, ils aiment faire pétarader leur moteur pour se donner de l'importance.

Lorsque, quelques instants après, Axel et Gannon se trouvèrent seuls dans un des ascenseurs qui allait les déposer au dernier étage du building où se trouvaient les bureaux de la direction, Mike déclara :

— Je me demande qui peut déjà savoir que je suis ici.

CHAPITRE IX

Erna, la secrétaire particulière du patron de l'I.E.C. à Düsseldorf, était une grande rousse portant des lunettes à montures d'écaille qui dissimulaient son visage ingrat criblé de taches de rousseur.

Cette femme de quarante ans avait un physique si peu engageant que tous les visiteurs qui défilaient dans son bureau ne s'y éternisaient pas, d'autant que sa voix était aussi sèche que son aspect extérieur.

Wolf Keyer l'avait choisie intentionnellement, pour éloigner les insinuations malveillantes de certains employés jaloux des contacts permanents qu'a une secrétaire particulière avec un chef puissant.

Il était certain, en la voyant, que personne n'aurait pu imaginer qu'elle avait droit à certaines faveurs particulières n'ayant aucun rapport avec sa situation.

Ce fut d'ailleurs tout de suite la pensée de Gannon en voyant cette grande bringue, fagotée dans un pull-over couleur épinard qui tombait sur une jupe écossaise taillée sans doute dans un vieux vêtement.

En voyant Axel, elle esquissa cependant un sourire. Ses dents étaient blanches, régulières et bien plantées. C'était sans doute la seule chose valable en elle.

— Oh ! Monsieur Elsener. Vous voici en visite à Düsseldorf. Monsieur Keyer ne n'a pas annoncé votre venue.

— Et pour cause ! Je suis juste de passage avec mon ami américain, Mike Gannon, dit-il en le désignant d'un geste. Je m'envole avec lui pour Berlin. Nous partons après le déjeuner.

Elle eut une expression désolée :

— Mais vous n'allez pas voir monsieur Keyer. Comme chaque matin il est à Munster et ne reviendra qu'à quinze heures.

Axel haussa les épaules avec insouciance.

— Lorsque nous repasserons par Düsseldorf, dans trois ou quatre jours, je lui téléphonerai pour lui donner rendez-vous.

— Ne l'oubliez pas. Il serait désolé de vous avoir manqué.

— Voulez-vous que j'avertisse Horst Wogel, le sous-directeur, demanda-t-elle en posant la main sur l'interphone.

— Inutile, Fräulein Erna, je venais seulement vous dire bonjour car vous m'inspirez beaucoup de sympathie, et prendre un peu l'air de la maison.

Elle rougit de confusion en disant :

— Vous êtes trop aimable. Ici, tout va bien. Du reste, chaque jour nous sommes en liaison avec votre firme à Paris.

Après lui avoir serré la main, Axel et Mike quittèrent le bureau d'Erna et regagnèrent directement la cage d'acier qu'ils venaient de quitter.

Gannon, stupéfait, dit à son ami :

— Pourquoi lui as-tu raconté que nous partions après déjeuner pour Berlin ?

— Pour mieux surprendre son patron chez lui ce soir. J'aime toujours étudier les réactions de surprise, elles sont souvent révélatrices.

Gannon se mit à rire :

— Cette Erna est certainement une secrétaire efficace, car elle n'a rien d'une séductrice.

— C'est à bon escient que Wolf Keyer l'a choisie. Il paraît que sa dernière femme était d'une jalousie maladive. En outre, avec cette fille pas particulièrement gâtée par la nature, il ne risque pas les ragots, et comme tu le remarques justement elle est pour lui une précieuse collaboratrice.

Quelques minutes plus tard, les deux amis roulaient à nouveau dans la Lamborghini en direction du sud de la ville.

Axel déclara :

— Je connais un délicieux restaurant, un peu éloigné du centre, mais nous pourrons parler librement.

« Le Gourmet » qui portait un nom français se trouvait dans une des petites rues de la ville basse.

La maison avec ses poutres extérieures avait un petit air vieillot complété par des fenêtres à petits carreaux.

Il n'était pas encore midi quand Gannon et Elsener pénétrèrent dans la salle dont les murs étaient décorés de plats de faïence ; des pots en cuivre s'alignaient sur des étagères ; des nappes bleues et blanches recouvraient les tables leur donnant un petit air rustique qui n'était pas sans charme.

Une accorte servante, en coiffe et tablier de dentelle, les conduisit dans une sorte de loggia qui les isolait des autres clients peu nombreux, il est vrai, en cette fin de matinée.

— Tu vas goûter leur choucroute, elle est remarquable, dit Axel qui s'était emparé du menu.

Puis il commanda de la bière et un flan aux prunes comme dessert.

Quand la serveuse se fut éloignée, Axel déclara :

— Tu dois te demander pourquoi je suis allé dans le building de la firme, uniquement pour voir Erna, et pourquoi j'ai refusé de rencontrer Horts Wogel qui est en quelque sorte le directeur adjoint.

— Effectivement, ton attitude m'a étonné. Mais moins peut-être que cette annonce de notre voyage à Berlin.

— J'ai inventé celui-ci au dernier moment, pour brouiller les cartes.

— Brouiller les cartes ? je ne comprends pas.

— Vois-tu Mike, j'ai le sentiment que notre firme allemande — qui marche sur une lancée prodigieuse — ne nous montre qu'une de ses façades.

— Comment cela ?

— Il y a quelques années le directeur qui a précédé Keyer et s'appelait Meyer était un véritable salaud.

— Vraiment ?

— Parfaitement. Il a même voulu me descendre, pensant qu'en éliminant l'héritier de l'I.E.C. il deviendrait le grand patron de notre firme. Je ne te raconte pas les détails de cette sordide affaire, j'ai l'habitude d'ailleurs de rayer le passé. Les gens actifs ne songent qu'à l'avenir. Cependant le motocycliste qui tout à l'heure a tiré sur toi devant le building, n'a fait que renouveler un fait qui s'est produit, il y a plusieurs années, lorsque j'étais venu à Düsseldorf. Je ne suis pas superstitieux, pourtant, il y a une certaine corrélation troublante entre ces deux attentats qui se sont déroulés à sept ans de distance.

Gannon était impressionné par les paroles d'Axel. Cette coïncidence était pour le moins étrange.

Cependant, il ne voulut pas montrer sa stupeur.

— C'était toi qui étais visé, à cette époque, m'as-tu dit ? Maintenant c'est moi. C'est donc tout à fait différent. Après l'attentat de la nuit, je pense que l'on me traque depuis New-York. Donc pour moi, rien à voir avec ta firme !

Axel hocha la tête :

— Je n'en suis pas aussi certain. En faisant équipe avec toi, je te fais peut-être courir des risques.

Gannon se mit à rire :

— Quelle blague ! Des risques ? J'en ai l'habitude. C'est à Keyer que nous allons demander tout d'abord des renseignements sur le trafic des cargos qui peuvent transporter de la drogue.

— L'I.E.C. est directement mis en cause... je suis donc responsable. Cette chasse me passionne ! Mais, sais-tu qu'en réfléchissant à ton problème, je me suis dit que pour parvenir plus sûrement à la tête des pourvoyeurs de drogue, il faut se lier tout d'abord avec ceux qui en achètent ? Et ainsi, remonter la filière. Or, où trouve-t-on les drogués ? Dans les boîtes de nuit. Courtiser de jolies filles qui peuvent donner des adresses, voilà déjà un point acquis !

— Tout ce que tu dis est assez juste. Alors, quel est ton plan ? approuva Gannon.

— A la fin de l'après-midi nous allons nous rendre dans la villa de Keyer, nous lui exposerons ton problème. Nous étudierons ses réflexes. Aura-t-il l'air favorable ou embêté ?

— Que veux-tu dire par embêté ?

— Il ne faut pas exclure qu'il pourrait être dans le coup. Admets qu'il soit le complice de ce Braun.

— Cela me paraît gros !

— A moi aussi. Mais tout est possible. Un conseil, tenons-nous toujours sur le qui-vive.

Ils arrêtèrent cette conversation car on leur apportait un énorme plat de choucroute et le sommelier leur servait la meilleure bière allemande.

Lorsqu'après avoir fait un excellent déjeuner, ils quittèrent « Le Gourmet », au moment de prendre le volant de la

Lamborghini, Axel aperçut un motocycliste en blouson de cuir noir qui passait lentement devant le restaurant.

Était-ce l'homme qui avait tiré sur Mike ?

Comme il n'avait aucune certitude, il ne dit rien à Gannon.

Ayant compris que ce serait tout d'abord dans le milieu des cabarets nocturnes qu'ils trouveraient les drogués qui les conduiraient à la filière qu'ils voulaient découvrir, Mike et Axel décidèrent de ne rendre visite à Keyer que le surlendemain.

D'ailleurs, il était possible qu'en cette fin de semaine, le directeur — comme beaucoup de ses compatriotes — passe le week-end à Wiesbaden ou dans une station touristique sur les bords du Rhin.

— Profitons de ces deux jours pour faire quelques incursions dans les boîtes de Düsseldorf, dit Axel.

— Tu as raison, approuva Gannon.

Ils passèrent donc le premier soir dans un cabaret réputé que leur avait recommandé le portier de l'hôtel.

C'était un établissement où se retrouvaient volontiers les hommes mariés en quête d'aventures, car la discrétion y était assurée.

Toutes les tables des consommateurs se trouvaient séparées les unes des autres par des sortes de treillages, qui portaient toutes un numéro, sur chacune se trouvait un téléphone.

Comme les danseuses de l'établissement se tenaient de l'autre côté de la piste de danse et qu'elles possédaient également un appareil téléphonique, il était facile à un client d'alerter celle qui lui plaisait.

Elle venait ainsi à sa table, partageait ses consommations et souvent terminait la nuit avec son hôte généreux. Ce lieu qui passait pour un des plus sélects de la ville ne recevait que des clients munis d'un solide compte en banque et l'addition que l'on présentait à ceux-ci était astronomique.

Ce vendredi soir, il y avait foule au « Rosa-Monda », cependant Gannon et Axel purent — grâce au portier du Park Hôtel — obtenir une table particulièrement bien située.

Ce cabaret était une sorte de discothèque à la musique survoltée qui déchirait le tympan.

Quand ils pénétrèrent dans l'établissement, éclairé seulement par des brefs flashes de lumières qui plongeaient tour à tour les assitants dans la pénombre et dans une clarté brutale, Gannon pensa qu'il serait bien étonnant de découvrir dans cette ambiance les éléments qu'il cherchait.

Par contre, Axel paraissait très détendu.

Il dit, en désignant une brune bien balancée :

— Regarde cette fille sensas, en rouge ; elle ne doit pas être une mauvaise affaire.

Il décrocha son téléphone et demanda à la standardiste de le brancher sur la « troisième à gauche ».

Aussitôt, il vit la fille qui saisissait l'écouteur :

— Voulez-vous venir boire un verre à notre table. Nous sommes au numéro dix-sept.

— Mais vous avez un camarade, et je refuse d'être avec deux hommes.

— Il vous faut une copine ?

— Certainement.

— Alors, choisissez-en une. Mais qu'elle ne soit pas moche, mon ami est difficile !

— C'est d'accord, dit-elle en quittant son siège.

Il l'aperçut qui se dirigeait vers une petite blonde, portant une robe blanche pailletée d'or.

Toutes deux traversèrent la salle et rejoignirent la table dix-sept.

De près la « belle brune bien balancée », était un peu trop en chair et sa robe de satin audacieusement décolletée, sentait le bon marché. En revanche, son amie avait un joli minois, une bouche mutine, de grands yeux bleus effarouchés et une allure assez intemporelle.

Presque une fille de bonne famille.

« Grands dieux, que fait-elle ici ? », songea Gannon en évoquant Meg...

Il se sentait à la fois attiré et gêné par la présence de cette petite fille qui ne devait pas avoir plus de dix-huit ans.

Elles s'étaient assises à leur table : la brune se présenta :

— Je m'appelle Margot. Voici mon amie Sylvia... et vous ? ajouta-t-elle en fixant le Français.

— Mon nom est Axel, voici Mike; il est Américain.

100

— Américain ? dit Sylvia en fermant les yeux. C'est beau l'Amérique, n'est-ce pas ?

— Cela dépend, répondit Gannon sans se compromettre.

Le dévorant du regard, elle reprit :

— J'ai été fiancée à un Américain. Il était mobilisé au Liban comme aviateur, mais il a été tué... Nous devions nous marier au printemps.

Des larmes qu'elle ne put contenir roulèrent sur ses joues. Gannon aurait voulu la serrer contre lui et lui murmurer des paroles apaisantes.

Leurs deux peines avaient, en quelque sorte, un point commun : La mort...

Mais il se contenta de lui presser doucement la main :

— La vie est cruelle pour tous.

A ce moment une aguichante serveuse à la jupe noire courte et à la poitrine prise dans un corselet de velours grenat, vint chercher la commande.

— Du Champagne de France et du meilleur, jeta Axel sans consulter ses compagnons.

D'une voix timide, Sylvia dit :

— Je prendrais bien aussi un petit sandwich, je n'ai pas dîné.

Alors, grand seigneur, le Français ajouta :

— Du saumon fumé pour tout le monde et des gâteaux.

Margot battit des mains :

— J'adore le saumon !

Elle s'approcha d'Axel et, pour le remercier, lui donna un baiser léger sur la joue.

Le tintamarre était tellement assourdissant dans ce cabaret qu'il fallait hurler pour se faire entendre.

Margot voulut entraîner le Français sur la piste de danse. Il était impossible de faire deux pas sans être bousculé de tous les côtés, pourtant, ils s'obstinèrent ; mais un peu plus tard, ils revinrent piteusement à leur table.

Gannon, qui tenait dans sa main le poignet de Sylvia tentait de lui arracher quelques confidences. Il la sentait malheureuse et il n'avait pas tort.

Il apprit qu'elle était orpheline. Elle avait trouvé un poste de gouvernante auprès d'une fillette anglaise, mais ayant perdu son mari dans un accident, la mère de l'enfant dût retourner à Londres. Elle laissa Sylvia à Düsseldorf n'ayant plus les moyens de la payer, même modestement.

Après leur départ, elle avait été vendeuse, puis, la gêne venant, elle avait accepté un poste d'entraîneuse dans une boîte de nuit, et enfin était arrivée au Rosa-Monda :

— Mais c'est mon dernier soir, je ne suis pas assez gaie pour les clients et je ne les entraîne pas à boire. Je ne suis pas une bonne recrue pour la direction. Ce soir, j'irai coucher à l'asile.

Gannon sursauta :

— Vous plaisantez ! Je vous ramène dans mon hôtel.

Elle eut une expression de bête traquée :

— Jamais ! jamais ! Je suis une entraîneuse, mais pas ce que vous croyez...

Il lui saisit presque durement le bras :

— Et moi aussi, je ne suis pas celui que vous croyez. Vous viendrez à mon hôtel ! Je coucherai sur le divan et vous dans le lit. Sylvia, j'avais une fille qui avait environ votre âge et je sais respecter la jeunesse...

Elle le regarda avec, à la fois, un peu d'inquiétude et de la reconnaissance.

Devinant le fond de sa pensée, il lui dit :

— N'ayez pas peur Sylvia, je suis un homme sincère. Je n'ai jamais menti de ma vie. Vous pourrez passer une bonne nuit.

Après le souper, Margot quitta précipitamment la table, elle s'excusa :

— Je reconnais un vieux copain. Il n'aimerait pas me voir en votre compagnie.

Comme il était plus d'une heure du matin et qu'Axel commençait à somnoler, Gannon leva la séance.

Il prit le bras de Sylvia :

— Vous venez avec nous ?

Elle hésita encore :

— Vous croyez ?

— Certainement.

Il lui sourit. Alors, rassurée, elle dit :

— Je vais chercher mon manteau au vestiaire et je vous rejoins tout de suite.

Tandis qu'il se trouvait seul en face d'Axel, Mike lui expliqua pourquoi Sylvia coucherait dans sa chambre.

Elsener lui répondit gravement :

— Décidément on ne te changera jamais ! Tu resteras le bon Samaritain.

Dans la Lamborghini, ils installèrent Sylvia entre eux deux.

Comme Axel prenait le virage pour rejoindre Königsallee, un motocycliste en blouson noir surgit soudain derrière eux. Mike se demanda si Axel l'avait vu.

Il ressemblait terriblement à celui qui devant le building de la firme avait déchargé son pistolet sur lui. Le Français l'avait sûrement aperçu car il tourna brusquement dans une petite rue, puis après avoir roulé une cinquantaine de mètres, il pivota sur la gauche, fit demi-tour er revint en arrière.

Sylvia, abasourdie par cette façon de conduire, avait crispé ses mains et serrait les lèvres.

Gannon, qui avait compris les raisons d'Axel, s'exclama :

— Mon ami est un plaisantin, lorsqu'il fait monter quelqu'un pour la première fois dans sa Lamborghini, il adore lui procurer des émotions fortes. en quelque sorte, il lui donne le baptême du volant. Mais ne craignez rien, il possède une parfaite maîtrise de sa voiture ajouta-t-il en éclatant de rire.

Axel accompagna Mike du même rire sonore qui se communiqua à Sylvia.

Ils eurent donc tous deux la certitude qu'elle ne s'était pas rendu compte que ces acrobaties avaient été exécutées pour échapper au motocycliste.

Prétendant qu'il tombait de sommeil — et c'était exact — dès qu'il eut franchi le seuil de leur suite au Park Hôtel, Axel abandonna Gannon et Sylvia dans le salon.

— Excusez-moi de vous fausser compagnie, mais je suis crevé, fit-il avant de se retirer.

Désignant le large sofa de velours qui se trouvait entre deux fenêtres, Mike dit à la jeune fille :

— Soyez tout à fait rassurée sur mes intentions. Je vais dormir ici. Vous pouvez disposer de la chambre et de la salle de bains.

— C'est moi qui vais m'étendre sur ce canapé, je serai très bien, répondit-elle en protestant, visiblement confuse.

Il posa la main sur son épaule d'un geste paternel :

— Ma petite Sylvia, vous semblez épuisée. Je vous

ordonne d'aller vous coucher et de m'obéir ! Demain matin, nous prendrons tous les trois un confortable petit déjeuner, car je suis sûr que vous aurez très faim.

Elle lui saisit la main et le fixa profondément émue.

— Comme vous êtes gentil ! Jamais je ne saurai assez vous remercier.

— C'est entendu, bougonna-t-il. Allez vite dormir !

Avec autorité, il la conduisit jusqu'à la porte de sa chambre.

Quand il se retrouva seul, il traversa vivement la pièce et frappa chez Axel.

— Je viens te demander de partager ta salle de bains, car je n'ai pas voulu effaroucher Sylvia en allant prendre une douche chez elle.

Axel qui venait de passer son pyjama, hocha la tête d'un air ironique :

— Qu'est-ce qu'il ne faut pas entendre de Monsieur Putiphar ! Je ne m'attendais pas à ça. J'espérais que tu partagerais ton lit avec la petite, elle est mignonne. Discrètement je t'ai laissé en tête-à-tête. Allons, viens, père la pudeur. Prends ta douche, mais grouille-toi, pour vite me laisser la place. Un second peignoir est accroché derrière le placard.

Sylvia était méduse par l'aventure qui lui arrivait. En entrant dans la chambre à coucher, elle demeura quelques instants immobile devant la pièce luxueuse qu'elle découvrait.

Le lit tendu de soie tilleul, de même teinte que les rideaux qui encadraient les fenêtres, les meubles d'érable clair, la coiffeuse et l'immense miroir qui recouvrait tout un panneau lui semblaient un luxe inimaginable.

Quand elle pénétra dans sa salle de bains, qu'elle vit les flacons de sels odorants près de la baignoire et les moelleuses serviettes éponge, elle crut poursuivre quelque rêve éveillé.

Évidemment, dans certains films elle avait pu admirer un tel décor, mais elle pensait que seules les artistes de cinéma avaient droit de vivre au milieu d'un tel cadre.

Elle se déshabilla avec une hâte fiévreuse, tellement elle était avide de se plonger dans une eau savonneuse et parfumée.

Elle passa les mains sur ses hanches, sur ses jambes avec

une sensation exquise. Elle éprouvait une telle volupté, qu'elle ferma les yeux et faillit s'endormir dans la baignoire.

Mais, lorsqu'enveloppée dans une large et douce serviette elle se retrouva étendue sur son lit, à peine eut-elle la force d'éteindre sa lampe de chevet, qu'aussitôt un sommeil profond s'empara d'elle et la berça dans un pays de rêve.

Quelle heure était-il lorsqu'elle ouvrit les yeux ?

Un rayon de soleil oblique glissait dans l'interstice des rideaux.

La veille, elle n'avait pas remarqué l'horloge électrique qui se trouvait au-dessus du poste de télévision.

En tournant la tête, elle vit qu'il était déjà neuf heures vingt-cinq.

Pourvu que son hôte ne soit pas parti ! Que penserait-il qu'elle ne se soit pas réveillée plus tôt ?

Elle repoussa la couverture et se levant d'un bond, courut jusqu'à la salle de bains. Si elle n'avait pas apporté avec elle de trousse de toilette, elle constata qu'il y avait une brosse à dents dans un tube en plastique, un peigne et tout le nécessaire pour un léger maquillage.

Rapidement, elle se coiffa, enfila le peignoir de bains et vint frapper à la porte du salon.

— Entrez...

Elle poussa le battant de la porte.

Les deux amis, tout habillés, étaient déjà dans la pièce :

— Bonjour Sylvia, avez-vous bien dormi ? demanda Gannon en souriant.

— Merveilleusement bien, répondit-elle d'une voix timide.

— Nous vous attendions pour commander le petit déjeuner. Que voulez-vous ? Café ? Thé ? Chocolat ? demanda Axel en rejetant le nuage de fumée de la cigarette qu'il tenait entre ses doigts.

Visiblement intimidée, elle dit :

— Je prendrais volontiers du chocolat...

« Comme une petite fille sage », songea Mike.

Axel saisit le récepteur de l'appareil téléphonique posé sur la commode et passa la commande :

— Un thé, un chocolat, du café noir, des toasts, des brioches et des œufs au bacon, s'il vous plait.

Sylvia ne put s'empêcher de remarquer :

— C'est un vrai repas !

— J'espère que vous y ferez honneur, répondit Gannon. Ce matin, on voit que vous vous êtes reposée, vous avez meilleure mine qu'hier soir.

— Oui, je crois.

Avec une certaine gêne, elle s'était assise sur le rebord d'un des profonds fauteuils de velours.

Sagement, comme une pensionnaire, elle croisait ses deux mains l'une contre l'autre. Comme elle n'avait pas de babouches et était nu pieds, elle avait ramené les pans de son peignoir sur ses jambes, dans un geste de pudeur.

Ses cheveux blonds retombaient sur son front.

En plein jour sa jeunesse était plus éclatante qu'aux lumières artificielles.

Elle était très jolie et son petit air réservé n'était certainement pas étudié. Il était naturel.

« Pauvre gosse, que va-t-elle devenir ? » songea Gannon qui l'examinait.

Plus détendu, Axel n'apportait à la petite que peu d'intérêt et ne se posait aucune question la concernant.

Le maître d'hôtel entra poussant devant lui une table roulante qu'il installa au milieu de la pièce, puis disposa trois sièges autour de celle-ci.

Sylvia, calée dans son fauteuil, regardait de tous ses yeux, comme une enfant gourmande, les galettes dorées et les boissons fumantes. Depuis longtemps, elle n'avait pas dû être à pareille fête.

— Je vais vous beurrer un toast, dit Gannon.

Lorsqu'elle tendit la main pour saisir l'assiette qu'il lui passait, la manche de son peignoir se releva, il sursauta : sur son avant-bras, il venait de découvrir trois traces rouges caractéristiques :

La petite se droguait.

CHAPITRE X

Cette découverte produisit sur Gannon un véritable choc.

Les yeux de Sylvia étaient si clairs, son expression si candide, qu'elle aurait trompé les plus avertis. Et elle n'était sûrement pas arrivée à un degré de non retour.

C'était dans le milieu des entraîneuses qu'elle avait dû être contaminée.

Il devait, en tout cas, tenter de la sauver. N'était-ce pas le destin qui l'avait placée sur sa route ?

En suscitant sa confiance, il obtiendrait peut-être le nom de celui qui lui procurait de la drogue. De la dure, de l'héroïne, les piqûres en témoignaient. Ainsi, ayant le premier maillon de la chaîne, il pourrait remonter jusqu'à la tête du gang.

Sylvia mangeait de bon appétit, croquant à belles dents les brioches et les croissants. Sa timidité s'estompait.

Elle raconta des épisodes de son existence d'orpheline, récits puérils et de peu d'intérêt. Elle s'exprimait comme une pensionnaire et Gannon était surpris que cette fille ait pu subir aussi facilement cette emprise pernicieuse :

— J'ai très peur de tout, et je suis d'un naturel méfiant. Au couvent où j'ai été élevée, les religieuses nous ont mises en garde contre les pièges de la vie, ajouta-t-elle avec une candeur qui ne paraissait pas feinte.

Le petit déjeuner terminé, elle déclara :

— Maintenant, je vais aller m'habiller et vous quitter.

— Où allez-vous aller ? lui demanda Gannon qui se souvenait qu'elle lui avait confié la veille qu'elle n'avait plus de toit.

Elle fit un geste vague...

— Chez une copine. Hier, elle ne pouvait pas me recevoir car elle avait un ami... d'ailleurs, j'ai mis ma valise chez elle.

Mike lui saisit le bras :

— Sylvia, ce soir, revenez ici avec votre valise. Je vais demander à la direction une chambre pour vous.

Elle le fixa, ébahie :

— Mais je ne peut accepter votre générosité.

— Quelques jours seulement. Le temps que vous trouviez une situation. Vous êtes sur le pavé. Acceptez-vous ?

elle était devenue écarlate :

— Vraiment ce serait abuser.

— Non, mon enfant. Figurez-vous que j'avais une fille de votre âge et cela me ferait plaisir de pouvoir vous aider.

Axel qui assistait à ce dialogue, debout devant la fenêtre, n'avait pas dit un mot, mais il avait l'air assez ahuri. Probablement n'avait-il par remarqué les traces des piqûres sur le bras de Sylvia.

— Alors, je vous laisse, dit Gannon, car mon ami et moi devons sortir. Mais cet après-midi revenez ici. Au fait, quel est votre nom de famille, que je puisse le donner à la direction pour une chambre :

Elle parut hésiter et dit :

— Je m'appelle Sylvia Von Manyus.

Il sursauta :

— Comme le général autrichien ? Un vaillant soldat !

— Je... Je... crois. Tout au moins c'est le nom qu'on m'a donné, je n'ai pas connu mes parents.

Gannon n'insista pas, mais il sut que ce nom cachait quelque chose de mystérieux.

Était-ce un pseudonyme ? Ou au contraire révélait-il sa véritable identité ?

Au fond, peu lui importait.

Il lui serra cordialement la main :

— A ce soir Sylvia.

Dès que la porte se fut refermée sur la mince silhouette, certain de ne pas être entendu, Axel s'exclama :

— Qu'est-ce qui te prend ? Tu continues à faire le bon Samaritain avec cette gosse insignifiante qui n'a même pas partagé ton lit. Serais-tu tombé sur le crâne ?

— Tu n'as pas vu son avant-bras ?

— Non...

Baissant la voix, Gannon reprit :

— Elle se drogue... héroïne... Alors je pense que par elle nous pourrons savoir où elle se procure cette saleté. Connaître qui lui vend ce poison, et peut-être remonter la filière...

— La crois-tu ? Crois-tu qu'elle te le dira ?

— Elle a l'air honnête.

— Ce n'est pas une raison ! Elle aura peur de parler, car elle sait sûrement qu'elle risque la prison et pire, la vengeance de son fournisseur.

— C'est possible. Néanmoins, je peux toujours essayer.

— Je souhaite que tu réussisses. Cependant je pense que pour harponner le gros poisson que tu vises, Keyer nous donnera des renseignements plus profitables. Nous saurons si les cargos de l'I.E.C. transportent la marchandise de l'Amérique du Sud à notre entrepôt de Bremerhaven.

— Quand irons-nous chez Keyer ?

— Aujourd'hui même.

— O.K. En attendant, je descends à la réception pour retenir une chambre pour la petite.

— De mon côté, je vais rendre visite à de vieux amis qui habitent les environs. Je déjeunerai avec eux !

— Veux-tu que nous nous retrouvions ici, à la fin de l'après-midi ?

— D'accord, Mike, rendez-vous à cinq heures.

Gannon put facilement obtenir une chambre à leur étage, pour fraülein Von Manyus. Mieux même, elle était voisine de leur suite.

Il ne remonta pas pour le lui annoncer. Il lui téléphona depuis le standard.

— Sylvia, tout est arrangé. Venez quand vous voudrez avec votre valise, j'ai donné votre nom à la direction. On vous a réservé le 223.

Au bout du fil, elle poussa une exclamation joyeuse :

— Comme vous êtes gentil !

— Vous pourrez déjeuner au restaurant de l'hôtel. J'ai prévenu. Aucune note à régler.

— Je ne sais vraiment pas comment vous dire merci.

Sa voix était pleine d'émotion. Elle allait raccrocher lorsqu'il lui dit :

— Encore une chose...

— Quoi ? Je vous écoute.

— Je laisse au concierge une enveloppe à votre nom avec quelques billets, afin que vous preniez un taxi pour aller chercher votre valise.

Elle répondit :

— C'est trop. C'est vraiment trop ! Comment...

Mais il l'interrompit :

— A ce soir. Attendez-nous pour dîner.

— A ce soir.

En reposant le combiné, Gannon eut le sentiment d'avoir accompli une bonne action. Pour la première fois, depuis la mort de Meg, il se sentit le cœur léger.

Après avoir passé devant Kreuzkirche, surmontée de sa tour centrale, flanquée de ses deux clochetons et dont les immenses vitraux flamboyaient sous les rayons vermeils du soleil couchant, la Lamborghini croisa la large artère de Kaiserwerther, puis enfin aborda la fameuse Autobahn qui dessert Cologne et tout le bassin de la Ruhr.

Bientôt, malgré l'énorme trafic de cette fin de journée, la voiture fila à vive allure à travers la campagne rhénane. Gannon admirait ce paysage varié ; ces jolies maisons, ces résidences de luxe qu'on entrevoyait nichées dans des oasis de verdure.

Il avait la sensation de s'enfoncer dans un immense jardin.

Il y avait plus d'une demi-heure qu'Axel était au volant de la Lamborghini, lorsqu'il obliqua à droite et sortit de l'autoroute pour s'engager sur une route secondaire qui traversait une immense prairie.

Au loin on apercevait l'orée d'un bois, il tourna dans cette direction.

Le chemin était bordé de haies qui masquaient une partie de l'horizon. Soudain, Gannon et Axel se trouvèrent en face d'une haute porte grillagée solidement verrouillée apparemment seule ouverture d'un mur élevé qui ceinturait un parc.

Une maison de gardiens s'élevait sur la droite.

Au bruit du moteur de la voiture, un petit homme en tenue de garde-chasse, veste verte, boutons dorés et hautes bottes, s'avança sur le seuil.

Visiblement intrigué à la vue de ces visiteurs qu'il n'attendait pas, il demanda d'un ton rébarbatif :

— Que voulez-vous ?

— Voir Herr Keyer.

— Vous avez rendez-vous ?

— Non, notre visite est une surprise.

— Je sais que Monsieur n'aime pas beaucoup ce genre de surprise.

— Peut-être. Mais je sais aussi qu'il va être très heureux de me recevoir lorsque vous lui direz mon nom, je suis Axel Elsener, le fils de son patron.

Toute cette conversation s'était déroulée en allemand.

En entendant le nom célèbre de la firme, le petit homme (peut-être était-il un ancien nazi), se mit immédiatement au garde-à-vous.

— Herr Elsener, attendez un instant, dit-il.

Il rentra dans la maison et en ressortit avec un talkie walkie.

Il lança un appel.

Presque immédiatement, avec un sourire, il se tourna vers les deux hommes.

— Herr Keyer vous attend. Suivez l'allée.

Tout en parlant, il avait actionné le système électronique qui fit glisser les hauts battants de fer forgé.

Axel embraya ; la voiture contourna un bouquet d'épicéas.

Un grand castel de briques roses et de pierres blanches, flanqué de tourelles, apparut.

Cette construction prétentieuse du plus mauvais goût se détachait sur une rangée de peupliers.

— On dirait que nous ne sommes pas les seuls visiteurs, constata Gannon en voyant plusieurs voitures alignées autour d'une pelouse verdoyante.

— Effectivement. En tout cas, cette bicoque est du plus pur style rococo qu'aimait tant Louis II de Bavière. Je ne m'y verrais même pas en peinture, fit Axel en freinant devant le perron à double volute.

Un domestique en livrée, se tenant raide, descendit les marches pour accueillir les nouveaux venus. Il avait également l'allure d'un ancien militaire du temps d'Hitler.

— Si ces messieurs veulent bien me suivre.

L'homme parlait avec emphase, détachant chaque syllabe tel un comédien qui dans un théâtre tient un modeste emploi d'utilité et cherche à se faire remarquer du public.

Gannon et Axel se retrouvèrent dans un grand hall dallé

de marbre noir et blanc, deux hautes fenêtres perçaient l'arrière de la bâtisse et ouvraient sur une piscine. Ils perçurent des rires et des clapotis d'eau.

Oui, Keyer recevait de joyeux convives...

Du reste, par une porte entrouverte, ils virent une immense salle à manger ; sur la table, recouverte d'une nappe, on apercevait les reliefs d'un repas. Assiettes, verres, argenterie et même plusieurs cadavres de bouteilles de champagne.

— Je crois que nous arrivons en trouble-fête, dit Gannon en anglais à son compagnon, pour ne pas être compris de leur mentor.

— En effet, cela est fort possible, lui répondit Axel avec ironie tandis qu'ils longeaient tous trois une large galerie.

L'homme qui les précédait s'arrêta devant un vantail et poussa un des battants.

— Si ces messieurs veulent bien attendre ici, Herr Keyer ne va pas tarder.

Toujours avec la dignité compassée d'un comédien qui veut parfaitement tenir son rôle, il s'effaça sur le seuil.

La pièce aux murs boisés dans laquelle ils entrèrent avait la dimension d'une cathédrale. Des fenêtres étroites garnies de vitraux, des meubles gothiques, des fauteuils en bois sombres recouverts de tapisseries, une haute cheminée de pierre complètaient ce décor oppressant.

C'était vraiment un endroit déprimant qui évoquait la salle d'un tribunal du moyen-âge.

Cependant, on sait que beaucoup d'Allemands ont une nostalgie marquée pour cette époque — (l'ombre de Lohengrin est toujours présente sur les bords du Rhin) — cela n'avait rien de surprenant.

Plusieurs minutes s'écoulèrent :

— J'ai l'impression, fit Axel, que notre venue doit perturber la soirée du maître de maison. S'il joue Neptune au milieu des naïades, il doit s'habiller pour nous recevoir.

Enfin un pas se fit entendre sur les dalles de la galerie et Wolf Keyer apparut.

Gannon eut un léger sursaut en voyant devant lui un homme brun, barbu, au front dégarni, qui portait un costume clair avec un foulard écarlate noué autour du cou.

Il avait adopté la tenue d'un intellectuel surréaliste, ce qui ne cadrait pas avec la situation qu'il occupait. Cependant le personnage pouvait se résumer en quelques mots : « C'était un jouisseur et un homme de plaisir. »

Sa main fusa en direction d'Axel :

— Excusez-moi de vous avoir fait attendre, Monsieur Elsener, mais en fin de semaine, je reçois souvent des amis qui aiment ma piscine. Comme elle a une dimension olympique, je suis heureux d'en faire profiter quelques sportifs.

— Mon ami, Mike Gannon, un journaliste américain dont vous n'ignorez sûrement pas le nom, répondit le dauphin de l'I.E.C. en présentant son compagnon.

— Votre réputation de reporter n'est pas inconnue des Allemands, répondit aimablement Keyer.

A cet instant une porte s'ouvrit brusquement sur une apparition imprévue et charmante.

Une grande et jolie brune dont les cheveux tombaient en cascade sur les épaules et qui, comme tout vêtement, ne portait qu'un bikini vert émeraude se tenait sur le seuil.

En voyant les visiteurs, elle porta la main devant sa petite bouche carminée d'un geste faussement confus, car son attitude ne décelait aucune gêne.

— Oh... Excusez-moi...

Keyer ne paraissait pas contrarié par cette incursion; il sourit à la jolie fille et dit :

— Monsieur Elsener, je vous présente Gabriella, ma secrétaire particulière. Comme mes amis, elle vient avec son fiancé profiter le samedi d'une journée de détente.

Gabriella s'avança en ondulant des hanches, faisant ainsi valoir sa plastique admirable. Elle avait le teint doré, le nez court, les yeux obliques et la bouche charnue. C'était une Eurasienne, et vraiment une très belle créature.

Elle eut un long regard significatif pour Axel, mais en voyant Gannon, elle accentua son sourire, découvrant des dents blanches admirables, des dents faites, semblait-il, pour dévorer la vie et les mâles imprudents qui tomberaient sous son emprise. Elle devait avoir les instincts d'une mante religieuse.

— J'adore les Américains, dit-elle en tendant sa main fine aux ongles carminés, de la même couleur que le vernis qui recouvrait ses orteils, car elle était pieds nus.

Sans façon, avec l'assurance d'une maîtresse de maison, elle se laissa choir dans un des fauteuils et reposa sa nuque sur le dossier, faisant ainsi valoir la courbe de sa gorge pleine.

Pour une secrétaire, cela en était trop, Keyer, qui parut très gêné, dit :

— Gabriella. Ces messieurs sont venus me trouver pour parler « affaires ». Je crois que vous devriez aller retrouver nos invités.

Elle se redressa, le fixa avec une lueur assez insolente dans ses prunelles de jais, et répliqua :

— Je le supposais. Mais ne suis-je pas votre secrétaire ? Ma présence ici peut vous être utile.

— Oubliez-vous que votre semaine est terminée et que vous êtes en congé de week-end ? J'ai toujours respecté les heures de travail de mes employés.

Serrant les lèvres, elle resta une seconde immobile puis jeta :

— Je pensais simplement vous seconder. Je ne suis pas syndiquée et je ne compte pas mon temps lorsqu'il s'agit de vous aider.

De plus en plus gêné, Keyer répliqua :

— Je vous suis très reconnaissant de votre zèle, mais votre absence prolongée pourrait surprendre votre fiancé.

A cet instant des cris et des éclats de rire parvinrent depuis le jardin.

L'Eurasienne éclata de rire :

— Vous les entendez ? Ils ont tous tellement bu, que je ne pense pas qu'aucun d'eux puisse remarquer que je me suis éclipsée.

D'un ton sec, l'Allemand jeta :

— Gabriella, je n'aime pas que l'on discute mes ordres.

Elle sursauta, la rage couvait en elle. Elle répliqua sèchement :

— Très bien, Herr Keyer.

Elle quitta son siège avec un effort évident, furieuse d'être évincée du trio, et traversa le salon, suivie de son patron qui certainement désirait lui parler.

Gannon qui fixait un miroir faisant face à la porte et qui lui renvoyait le reflet du couple vit que le bras de Wolf entourait les épaules de la jolie fille et qu'il lui chuchotait quelques mots dans l'oreille. Visiblement, il voulait se faire pardonner son attitude.

Comme Gannon et Axel s'en étaient du reste tout de suite

douté en la voyant, cette histoire du fiancé de Gabriella n'était qu'un prétexte pour sauver les apparences devant le fils du puissant magnat de l'industrie.

Gabriella était pour le patron allemand beaucoup plus qu'une secrétaire.

— Alors, que me vaut cette visite imprévue ? dit Wolf Keyer en rejoignant les deux hommes.

Axel répondit :

— Il ne s'agit pas des affaires de l'I.E.C. proprement dites, c'est pour Mike Gannon que je suis ici, il va vous expliquer la chose.

Avec étonnement, l'Allemand regarda l'Américain puis, soudain très gai, s'écria :

— Je vous écoute. Mais avant, je pense qu'un whisky ou un verre de champagne s'impose.

Le serviteur n'avait sans doute pas besoin de recevoir des ordres de son patron, pour savoir comment agir lorsqu'il recevait des visiteurs. Comme si cette parole avait été magique, il apparut soudain portant sur un plateau des verres, un seau à glace, une bouteille de champagne et une autre de whisky.

Il déposa son chargement sur une table basse.

En parfait maître d'hôtel il fit sauter le bouchon capsulé et remplit les coupes.

Quand ils eurent trempé leurs lèvres dans le vin pétillant, Mike dit :

— Herr Keyer, je viens de perdre ma fille dans des conditions dramatiques et je désire me venger de ceux qui sont, même indirectement, responsables de sa mort.

En quelques mots, il mit l'Allemand au courant du drame qu'il venait de vivre et ajouta :

— Comme il y a de grandes probabilités pour qu'à l'insu de la compagnie maritime dont vous êtes le président, vos cargos qui viennent d'Amérique du Sud transportent de la drogue, je viens vous demander votre aide.

Tout d'abord Keyer avait écouté Gannon avec une politesse teintée d'ennui, témoignant seulement une attitude polie à son récit.

Cependant, peu à peu, l'expression de son visage c'était modifiée, un intérêt évident se lisait dans son regard.

Gravement, il dit :

— Il est certain que les cargos de l'I.E.C. sont une

couverture qui peut servir à des trafiquants, qui passent plus facilement, grâce à notre réputation, à travers les contrôles douaniers. Je connais hélas les méfaits de ce fléau, on assure que des quantités considérables de drogue sont réparties en Amérique et en Europe et que rarement on trouve les véritables coupables.

Ce fut Axel qui lui demanda :

— Cette année, combien croyez-vous que nos cargos vont débarquer de tonnes de marchandises dans les ports américains ?

— Environ 400 000 tonnes.

Gannon poursuivit :

— D'après des recoupements que j'ai faits, vous êtes la compagnie maritime la plus puissante et la plus sérieuse du continent, il est certain que pour des trafiquants, vos bateaux offrent une garantie merveilleuse.

— Il n'est pas difficile pour un matelot de glisser un sac d'héroïne dans un des colis que nous embarquons.

Gannon intervint :

— A mon avis, ce n'est pas au départ que l'on peut pincer un trafiquant, c'est à l'arrivée, car les colis suspects sont alors livrés à un complice du gros bonnet.

— C'est donc à Bremerhaven qu'il va falloir exercer une étroite surveillance, car c'est dans ce port qu'arrivent tous les cargos de notre société. Si vous pensez que les trafiquants se servent de notre compagnie maritime, nous allons immédiatement avertir la police. Aucune marchandise ne sortira des soutes sans êtes contrôlée.

Gannon protesta :

— Ce serait une grossière erreur !

— Pourquoi ? fit l'autre étonné.

— Il faudrait agir en douceur, épier les suspects possibles pour remonter à la source.

— Comment cela ?

— A New York, j'ai un de mes amis, officier de police, qui est justement dans la section de la drogue. Il m'a dit que tous ceux que ses hommes cueillent n'agissent pas pour leur propre compte. Ils sont grassement payés, et ne parlent jamais car le gros bonnet, le chef d'un réseau est toujours un individu intouchable. Dans un autre ordre d'idée, la C.I.A. a une « section spéciale » qui met hors d'atteinte de la justice certains de ses membres. Admettez que pour la drogue le consensus soit le même.

— Je ne vois pas, fit pensivement l'Allemand en caressant sa barbe.

— C'est pourtant simple. Si le chef du gang est un puissant banquier, un magnat de l'industrie et même un homme politique, l'arrestation d'un tel personnage risquerait d'ébranler le régime. Le scandale pourrait même faire tomber un gouvernement... Il paraît qu'en Europe ou aux U.S.A. le budget de certaines grandes villes ne s'équilibre que grâce à la drogue. C'est le cas pour New York. Comment le policier le plus déterminé, peut-il agir dans ce cas ?

Axel intervint à son tour.

— Tout ce que vient de vous dire Mike Gannon est exact. Voilà pourquoi, n'ayant pas les mêmes raisons de fermer les yeux qu'un policier obligé de ménager des pontes et qu'étant moi-même libre et indépendant, je le soutiens de toutes mes forces. Tous deux nous ne reculerons pas à faire éclater un scandale sans précédent, et à descendre en flèche un bonhomme qui se croit intouchable. Comme lui je serai sans pitié.

Keyer quitta son fauteuil, reposa sa coupe de champagne et dit gravement.

— Axel Elsener et Mike Gannon, vous êtes deux hommes courageux et je vous admire sincèrement. Aussi, je vais également tout faire pour vous aider. En attendant, voulez-vous me suivre dans mon cabinet de travail, je vais vous montrer quelque chose.

Keyer traversa la pièce, ouvrit une porte donnant sur une pièce carrée au mobilier simple et rationnel. De nombreux éclairages, projecteurs et lampes électriques, projetaient la lumière dans des directions déterminées.

Un large bureau en occupait le centre. Par opposition à la première pièce, c'était un lieu strictement de travail. Des machines à écrire, des télescripteurs s'alignaient sur un des murs.

Keyer saisit une petite boîte d'ébonite qui se trouvait sur une étagère. Il la dirigea vers le panneau vert pâle qui séparait deux fenêtres.

Le mur s'effaça démasquant un immense planisphère.

Il appuya une seconde fois sur un bouton, une centaine de

points lumineux rouges et verts s'allumèrent sur l'océan Atlantique entre l'Amérique du Sud et l'Europe.

— Vous voyez une vue générale de nos bateaux. Les verts remontent au nord, les rouges font route au sud.

Il approcha son doigt du Portugal et désigna un point vert.

— C'est le cargo *Essen*. Il vient du Venezuela. Après une escale à Lisbonne il va longer les côtes de France. Mais il ne s'arrêtera pas avant Bremerhaven. Si vraiment, comme vous le prétendez, Monsieur Gannon, le trafic passe par notre compagnie, ce cargo est sûrement un des plus suspects. Il faut le surveiller dès son arrivée.

Axel et son ami, vivement intéressés, regardaient ce tableau qui, par un système complexe électronique et un satellite de surveillance, permettait à Keyer de suivre nuit et jour les mouvements de tous les navires de la compagnie.

— C'est formidable ! s'écria Gannon avec admiration.

Keyer se tourna vers l'Américain :

— Voyez-vous, Monsieur Gannon, j'ai écouté sans vous contredire tout ce que vous m'avez confié. Cependant, vous ignorez une chose...

— Laquelle ?

— Tous les colis en provenance du Venezuela et des autres pays de l'Amérique du Sud sont vérifiés grâce à des chiens, dressés pour démasquer la cocaïne ! Ils sont infaillibles. Or, jamais nous n'avons découvert de drogue à bord de nos cargos.

— Les chiens c'est très bien. Mais ce n'est pas une preuve, fit Axel.

— Comment cela, pas une preuve ?

— Ignorez-vous donc, Wolf Keyer, qu'un complice des trafiquants peut fort bien les neutraliser. On les drogue si je puis dire avec une anti-drogue, et ils perdent leur odorat, donc leur flair.

L'Allemand resta pensif.

— Il me semble que l'on m'a dit cela.

— Et ce n'est pas une nouveauté, reprit Gannon. Je suis étonné que vous n'y ayez pas songé.

— En tout cas, je vous promets de m'assurer personnellement que cette enquête sera soigneusement faite. Je suis moi-même révolté en songeant aux dégâts que produit un tel poison. Si la drogue enrichit des truands, elle ruine des familles d'honnêtes gens. Ruine des carrières, ruine des vies.

Puis, regardant ses deux visiteurs, il leur dit joyeusement :

— En attendant, retournons au salon, il y a encore du champagne à finir.

S'adressant à Gannon, il ajouta :

— Buvons à votre réussite et à votre courage, vous qui êtes... le Justicier de l'Ombre...

Axel ayant porté sa coupe à ses lèvres avala lentement la boisson pétillante et déclara :

— C'est une grande année, ce cru est remaquable.

Wolf Keyer qui venait d'allumer un cigare déclara :

— Je suis très difficile sur la qualité de tous les breuvages.

— Vous autres Allemands savez apprécier les grands vins.

Puis fixant le directeur, pour voir sa réaction il ajouta :

— La réputation de vos compatriotes n'est plus à faire sur ce chapitre. A Paris j'ai appris qu'un certain Herr Braun de Düsseldorf a paraît-il des caves remarquables. En avez-vous entendu parler ?

Le directeur qui rejetait un nuage de fumée s'exclama :

— Qui ne connait pas Braun ici ! Il a de multiples affaires financières, mais est un des plus importants viticulteurs de la région. Ses vignes s'étendent tout le long du Rhin.

— Vous le connaissez ?

— Relation de golf... Il fait partie de mon Club et j'ai fait parfois des parcours avec lui. Si vous désirez visiter ses caves, je puis lui téléphoner. Il sera certainement très flatté de recevoir l'héritier de l'Internationale Elsener compagnie et de lui faire admirer ses caves, dont il est particulièrement fier.

Gannon demanda :

— C'est sans doute un homme aimable.

— Très imbu de lui-même, et qui passe pour être original. Il a dit-on une passion pour certains animaux sauvages assez redoutables.

— C'est un chasseur ?

— Je l'ignore. Cependant il fait souvent de longs voyages à l'étranger. Il paraît qu'il a une préférence pour l'Extrême-Orient.

Axel et Mike notèrent ces renseignements en songeant qu'ils iraient faire une visite à ce Braun.

CHAPITRE XI

Gannon et Axel, encadrés par quatre belles filles, élégantes et voyantes, suivis d'un éphèbe au sexe indéfini, avaient fait une entrée, moins que discrète, au « Töff-Töff » ce restaurant renommé de la Bolkerstrasse qui doit son originalité à sa décoration de maquettes d'automobiles et de locomotives. On peut même y admirer un véritable modèle de course de 1906.

Évidemment l'arrivée de ce groupe de sept personnes à l'heure du dîner, dont quelques-unes fortement éméchées, jeta une certaine perturbation parmi les dîneurs.

Le gérant se précipita pour déclarer :

— Nous sommes samedi, il est impossible de vous servir, car vous n'avez pas retenu de table.

Gabriella qui, tel un guide, était en tête de la délégation, riposta :

— Comment pouvez-vous parler ainsi, Herr Müller, ces messieurs (elle désigna le Français et l'Américain) sont des grands amis de Herr Keyer. Vous devez absolument vous arranger pour nous recevoir.

C'était un ordre. D'ailleurs, au nom du directeur allemand de l'I.E.C. — qui était un fidèle client de l'établissement — le gérant appela aussitôt un des maîtres d'hôtel qui dressa une table supplémentaire au fond de la salle.

En quittant la villa de Keyer, Mike et Axel, dont la présence avait été signalée à la joyeuse bande par Gabriella, se virent entourés par une nuée de naïades qui leur proposèrent un bain improvisé dans la piscine, mais comme ceux-ci refusèrent alléguant la nuit proche, l'Eurasienne battant des mains, s'écria :

— J'ai une meilleure idée.

— Quelle idée ? demanda un grand blond.

— Remettez tous vos vêtements. Nous allons aller dîner au « Töff-Töff ». Il faut faire connaître à des étrangers ce lieu typiquement local.

Gannon songeant qu'il avait donné rendez-vous à Sylvia, voulut s'éclipser. Par contre Axel semblait enchanté. Quant à Wolf, qui assistait à la scène, il déclara sèchement :

— Ce soir, je ne peux vous accompagner. J'attends un coup de fil important de l'étranger.

— Laissons ce vieux barbon. C'est sans importance, murmura à sa voisine une petite rousse au nez impertinent et à la bouche rieuse.

— Nous suivons Gabriella, reprit le nordique qui s'appelait Karl.

— Décidément vous ne venez pas ? s'enquit l'Eurasienne en regardant son patron.

— Je viens de vous en donner la raison, aboya l'Allemand de fort méchante humeur.

Il était certain que cette virée ne lui plaisait guère. Cependant il dut faire contre mauvaise fortune bon cœur et ne pas oublier que le dauphin de la firme était à Düsseldorf et pouvait juger son comportement. Or, il voulait donner l'image d'un homme qui se consacre à la société qu'il dirigeait. Il leur souhaita une agréable soirée.

Pendant ce temps Elsener disait à mi-voix au journaliste :

— Dans cette ambiance, qui sait, tu peux découvrir le fil conducteur que tu cherches.

Oui, Axel avait peut-être raison. Gannon accepta donc de se joindre au groupe, mais il passa un coup de fil au Park Hôtel et laissa un message pour fraülein von Manyus disant qu'il ne pourrait pas dîner avec elle, mais qu'il passerait plus tard lui dire bonsoir.

Les baigneurs quittèrent prestement leurs bikinis et maillots de bain. La métamorphose fut vraiment spectaculaire ! Gabriella apparut, la première, moulée dans une tunique de satin couleur rubis qui s'ouvrait jusqu'à la taille sur un collant de même nuance. Laura, une grande fille aux cheveux auburn, mannequin en vogue, portait une robe de mousseline parme qui voilait à peine sa nudité. Quant à

Stéphania, une jeune artiste de cinéma qui prenait des airs à la Marilyn Monroe, elle avait mis son corps en valeur dans un fourreau noir au décolleté vertigineux, toutefois moins vertigineux que celui d'Elsy, une Suédoise très « in », aux merveilleux yeux verts de chat siamois, qui arborait un pantalon serré en lamé or pâle de la même nuance que sa chevelure qui tombait en cascade sur ses épaules. L'éphèbe qui fermait la marche paradait dans un ensemble blanc. Il était cravaté de turquoise...

Tous s'entassèrent dans deux Mercedes. Axel et Mike désirant conserver leur autonomie restèrent seuls dans la Lamborghini.

Ayant commandé d'autorité trois bouteilles de Dom Pérignon, Gabriella avait placé Axel à sa droite — n'était-il pas le dauphin de la firme ? — et Gannon à sa gauche.

Sous ses paupières à demi baissées, elle évaluait tour à tour ses deux compagnons, aussi séduisants l'un que l'autre. Chacun avait droit à ses sourires et souvent sa main s'égarait sur le poignet de Mike ou du Français lorsqu'elle voulait ponctuer, avec plus de conviction, les phrases qu'elle prononçait. Fidèle à Wolf ? C'était peu probable...

Elle était singulièrement attirante. Ses cheveux sombres, relevés par deux peignes d'or, mettaient en valeur son visage ravissant et énigmatique de déesse orientale.

Elsener se demandait jusqu'à quel point Keyer était sous son pouvoir. Pourquoi l'avait-il présentée comme étant sa secrétaire ? Ignorait-il qu'Axel avait été à l'I.E.C. et qu'il avait rencontré Erna ? C'était sûrement à bon escient que le directeur allemand avait choisi cette fille au physique ingrat et à l'allure rassurante, lorsqu'il recevait des visiteurs importants. Erna était le type de l'employée sérieuse qui inspirait confiance aux étrangers qui pénétraient dans le bureau du patron allemand.

« Deux secrétaires ? Il faudra que je tire cela au clair » songea le dauphin en reposant sa coupe de champagne.

Se méfiait-il de Keyer ? Il n'aurait su le dire. Cependant quelques années plus tôt n'avait-il pas démasqué le jeu sinistre de son prédécesseur qui voulait simplement le rayer du monde des vivants en le faisant assassiner pour s'approprier les commandes de cet empire industriel !

Gabriella avait passé son bras autour du cou de Gannon et le pria de prendre sa coupe de champagne.

— Si je bois à l'emplacement de vos lèvres je pourrai savoir si votre cœur est libre.

Il repoussa le breuvage.

— C'est inutile.

— Et pourquoi ?

— Parce que, si mon cœur n'est pas pris, il n'est pas à prendre.

Elle sursauta, fronça les sourcils. Cette réponse sans équivoque ne lui convenait pas.

Elle se tourna vers Axel.

— Et vous ? Votre cœur est-il pris ?

Il eut un sourire équivoque :

— Mon cœur est toujours libre pour une jolie fille.

— Voilà une réponse adorable.

Elle lui offrit son visage pour un baiser.

Il feignit de ne pas voir ce geste d'offrande et narquois ajouta :

— Il me semble, belle Gabriella que c'est vous qui n'êtes pas libre.

Elle rougit et eut un frémissement :

— Comment cela ? Précisez votre pensée.

— Votre patron doit avoir un droit de priorité. Et je ne voudrais pas me battre en duel avec le collaborateur de l'I.E.C. Nos affaires s'en ressentiraient. Or, pour moi, le business passe toujours en premier.

Elle serra les poings, ses yeux jetèrent un éclair :

— Vous êtes un beau mufle !

— Et vous, une belle garce !

Il éclata de rire :

— Vous voyez nous sommes quittes.

Elle dominait mal sa colère. Habituée aux hommages, la réponse du Français était pour elle un camouflet.

Sa main émietta nerveusement un morceau de pain, tandis que sa bouche se crispait. Elle devait faire un effort considérable pour ne pas riposter en laissant échapper sa rage.

Gannon qui, du coin de l'œil avait suivi cette scène, vit briller dans les prunelles de l'Eurasienne, cet éclair de haine que seul peut allumer le pouvoir. Il sut, qu'à travers Keyer, elle était à Düsseldorf la véritable maîtresse de l'I.E.C.

Axel avait dû avoir la même pensée, car il se pencha sur son épaule pour ajouter :

— N'oubliez pas que les pruneaux de la firme ne sont en Allemagne que ceux d'une succursale. Le Président directeur général est mon père. Vous n'avez pas visé assez haut.

Il avait jeté cette phrase comme un défi. Elle blêmit mais se contint, feignant de n'avoir pas entendu elle se tourna vers Laura le mannequin en vogue et lui jeta :

— Ta robe est merveilleuse !

Le blond éphèbe approuva, les deux autres filles se racontaient à mi-voix une histoire salée qui les faisait rire aux larmes.

Au moment où le maître d'hôtel apportait les desserts, des crêpes flambées, la Suédoise proposa :

— Nous allons finir la nuit chez « Mario » qui vient d'ouvrir un nouveau cabaret. Il paraît que c'est très marrant.

Stephania et Karl applaudirent. Gannon songea que dans l'ambiance d'une boîte il trouverait peut-être une piste intéressante.

Le cabaret était une véritable tabagie.

L'atmosphère enfumée était difficilement respirable. Les clients — des jeunes pour la plupart — poussaient des cris de Sioux en évoluant sous les projecteurs qui crachaient dans la pénombre des éclairs multicolores au son d'une musique discordante qui faisait mal aux nerfs.

Le tintamarre était effroyable.

En quittant le « Töff-Töff », Gabriella avec dignité, avait préféré rentrer en invoquant une soudaine fatigue. Humiliée par l'attitude d'Axel elle avait trouvé ce prétexte pour s'éclipser. Karl — le bel éphèbe — qui devait être son cavalier servant l'avait reconduite dans sa voiture.

Gannon et Elsener, flanqués des trois filles qui restaient, firent une entrée difficile au « Mario ». Toutes les tables avaient été prises d'assaut.

Sur le seuil de la boîte de nuit, Gannon avait eu un mouvement de recul, puis il s'était ravisé en pensant qu'au milieu de cette jeunesse avide de jouissances il trouverait sans doute la piste qu'il cherchait.

Enfin une hôtesse parvint à entasser les nouveaux venus autour d'une table exiguë. Sans façon, la belle Elsy s'installa sur les genoux d'Elsener et le prit tendrement par le cou. Elle le tutoya et l'appela « mon chou ».

Laura le mannequin et Stéphania la ravissante artiste de cinéma étaient serrées l'une contre l'autre comme des perruches. Elles scrutaient avec attention tous les visages qui les entouraient. Mike, qui se tenait debout derrière elles, vit que Stéphania était particulièrement nerveuse, il l'entendit dire à sa voisine :

— Je vais être en manque. J'espère qu'il va venir.

Ainsi, elle se droguait.

En venant ici Gannon n'avait pas perdu son temps !

D'ailleurs parmi ces garçons et ces filles qui dansaient d'une façon frénétique, avec des gestes d'automates, bien peu avaient l'air de posséder le contrôle d'eux-mêmes. Ainsi d'Amérique en Europe ce terrible fléau poursuivait ses terribles ravages !

Tout à coup, Stéphania sursauta, son visage s'anima, elle cria à Laura :

— Hanz est là.

Elle se leva d'un bond et disparut au milieu de ceux qui se pressaient sur la piste de danse.

D'un ton innocent, Mike demanda au mannequin :

— Elle a retrouvé son amoureux ?

— Non, son fournisseur.

— Quoi ?

— Elle est camée, jusqu'à la moelle. Vous savez dans le milieu du cinéma, tous les artistes usent des drogues dures.

Elle venait d'allumer une cigarette, et rejeta une bouffée de fumée avant d'ajouter :

— Moi je n'ai jamais voulu toucher à cette saleté.

A cet instant, Stéphania revint, le regard brillant, pour prendre congé de ses compagnons, elle leur expliqua :

— Je vais vous quitter. J'ai retrouvé un ami, qui tourne avec moi dans la prochaine production de Günther.

Un grand type roux l'entraîna en la serrant par la taille. Au même moment il y eut un remous du côté de l'entrée. Une demi-douzaine de jeunes voyous, portant des casquettes de motocyclistes et des chaînes de vélos, foncèrent dans le cabaret en poussant des hurlements.

Elsy et Laura qui semblaient terrorisées s'étaient redressées.

La Suédoise saisit le bras d'Axel :

— Partons ! C'est la bande à Werner. Ils viennent faire une expédition punitive. Mario a dû refuser de les payer. Je les connais, ils sont terribles.

De fait, malgré les employés de l'établissement qui étaient chargés du service d'ordre, ils se ruèrent dans la salle, balayant les tables avec leurs chaînes, cassant les verres, démolissant le matériel, au milieu des cris et de la fuite générale des consommateurs.

Laura qui tremblait et était devenue livide s'accrochait à l'épaule de Gannon et lui montrait la porte de secours qui était derrière eux :

— Je vous en conjure ! Sauvons-nous.

Malgré le désir qu'avaient Gannon et Elsener de se battre contre ces voyous qui voulaient faire la loi, ils songèrent qu'ils ne pouvaient abandonner les deux malheureuses. Celles-ci seraient sûrement des proies de choix pour ces butors.

Ils se retrouvèrent bientôt dans le parking et entassèrent leurs deux compagnes à l'arrière de la Lamborghini.

Au moment où Axel tournait dans Rosenstrasse, des cars de police passèrent en trombe devant le Goethe Museum. Ils allaient sans doute rétablir l'ordre chez Mario, car leurs sirènes fracassantes trouaient le silence de la nuit.

Il était très tard quand Axel et ses compagnons arrivèrent au Park Hôtel.

Pour se remettre de cette affreuse fin de soirée, le Français avait décidé qu'ils iraient au bar boire une dernière coupe de champagne.

L'employé à la réception déclara qu'il était désolé, mais qu'à cette heure tardive, le bar était fermé. Cependant il ajouta en fixant le groupe :

— Monsieur Elsener, on peut vous monter des boissons dans le salon de votre appartement.

— Très bien. Que le maître d'hôtel apporte des coupes et du Mouët et Chamdon bien frappé !

Déjà, il se dirigeait vers le groupe des ascenseurs, quand le concierge s'avança :

— Monsieur Gannon ?

Mike qui ouvrait la marche se retourna et revint sur ses pas.

— Qu'y a-t-il ?

— Depuis l'heure du dîner quelqu'un attend votre retour dans le salon de lecture.

Étonné, l'Américain vit un petit homme vêtu d'un imperméable couleur mastic. Il avait l'aspect d'un comptable. Il avait environ une quarantaine d'années et, comme les intellectuels, portait sur son visage rond et poupin des lunettes cerclées d'acier. En s'approchant timidement du journaliste, il lui dit :

— Vous êtes Herr Gannon ? Son allemand était légèrement teinté d'accent slave.

— En effet.

— Vous venez de New York, n'est-ce pas ?

— Oui, répondit Mike légèrement intrigué.

Baissant la voix l'autre poursuivit :

— Je connais le but de votre voyage à Paris, puis à Düsseldorf.

— Vraiment ?

Gannon était de plus en plus stupéfait, l'autre poursuivit :

— J'ai des documents qui pourraient vous intéresser.

Il montra la serviette de cuir noir qu'il portait à la main.

— Quels sont ces documents ! demanda le journaliste sur la défensive.

L'inconnu regarda autour de lui et bien que le hall fût désert, il dit :

— Je préfère ne pas parler ici. C'est confidentiel. Si quelqu'un me surprenait avec vous, je pourrais avoir de graves ennuis.

Pendant ce dialogue, Axel et ses deux compagnes s'étaient arrêtés devant le bloc des ascenseurs pour attendre Gannon. Celui-ci leur cria :

— Montez, je vous rejoins.

L'inconnu reprit :

— Je vous ai dit que je ne pouvais pas m'entretenir avec vous dans ce hall. Avec les employés...

Il désigna de la main le concierge et son adjoint qui d'ailleurs ne s'occupaient pas d'eux.

— Dans ce cas, répondit l'Américain résigné, montons dans l'appartement. Mais je vous préviens, vous l'avez vu du reste, mon ami n'est pas seul.

— Je connais les appartements de luxe du Park Hôtel. Le salon est précédé d'une petite entrée, nous y serons très bien.

128

Résigné et à la fois intrigué, Gannon acquiesça. Ils prirent tous deux un ascenseur et arrivèrent au moment où le maître d'hôtel déposait un plateau sur la table du salon. Ce dernier se retira en fermant la porte derrière lui.

De fait, comme l'avait dit l'inconnu, la petite pièce qui précédait la « suite » — éclairée par un plafonnier de cristal et meublée de deux confortables fauteuils et d'une table — était un endroit parfait pour une conversation privée malgré les rires des deux femmes qui se trouvaient dans le salon avec Axel, et qui leur parvenaient à travers la cloison. Ce bruit de fond n'était pas gênant.

Avec une certaine emphase l'homme s'inclina :

— Excusez-moi, je ne me suis pas présenté. Je suis le docteur Otto Kellerman.

Gannon lui désigna un siège :

— Asseyez-vous, Herr Doktor...

L'autre prit place dans le fauteuil qui faisait face à celui dans lequel venait de s'installer le journaliste.

Après un moment de silence, Kellerman poursuivit :

— Les affaires sont très difficiles en ce moment, et l'information que je vais vous communiquer représente une très grosse valeur.

— Une grosse valeur... Comment cela ? fit Gannon sur le qui-vive.

D'une voix hésitante son interlocuteur continua :

— Je pourrais la céder à celui que cela concerne directement. A celui qui est à la tête du trafic de la cocaïne.

Le journaliste eut un sourire narquois :

— Si je comprends bien, vous êtes vendeur.

L'autre eut un sourire contraint qui découvrit des petites dents mal rangées, jaunies par la nicotine. Il réajusta ses lunettes sur son nez et murmura :

— Comme je vous l'ai dit la vie est difficile pour les honnêtes gens.

Sèchement le journaliste rétorqua :

— Mais beaucoup moins pour les maîtres chanteurs !

L'homme releva la tête, un éclair de cupidité passa dans ses prunelles. D'un ton ferme, sans hésitation, il lança :

— 500 000 dollars...

— Un demi-million de dollars ? Vous vous moquez de moi !

— Je risque beaucoup en livrant ce nom.

— Je puis vous faire arrêter pour chantage !

Otto Kellerman se redressa et serra contre lui son porte-documents. Il était blême.

— Je pensais que vous étiez un gentleman.

— Vous vous êtes singulièrement trompé. Je suis un Américain précis et j'ai horreur du chantage.

Visiblement affolé, Otto quitta son siège, Gannon qui le regardait du coin de l'œil ajouta :

— Si ces documents sont vraiment révélateurs, je vous ferai une offre raisonnable. Mettons... 50 000 dollars.

— Herr Gannon, vous plaisantez ! Ces documents m'ont coûté cinq fois cette somme.

— Qui m'assure qu'ils sont une réelle valeur ?

— Regardez !

Otto posa la sacoche sur la table, fit jouer la serrure. D'une chemise de carton il sortit plusieurs papiers chiffonnés provenant d'ordinateurs.

Gannon les prit et constata qu'il s'agissait d'informations de navigation. Le journaliste étudia la chose avec soin, tandis qu'Otto debout devant lui ne cachait pas sa nervosité. Le masque tendu il surveillait la réaction de son interlocuteur.

Gannon releva la tête :

— Ce document est sans valeur. Les mêmes existent dans les bureaux de la compagnie maritime.

— C'est impossible ! Toutefois si vous trouvez mon prix trop élevé, je veux bien le baisser.

— Ceci ne m'intéresse pas, répliqua Mike en prenant les papiers et en les rendant à Kellerman.

— Je me suis ruiné pour les acheter. Monsieur Gannon, je vous en supplie, donnez-moi 50 000 dollars comme vous me le proposiez.

L'Américain croisa les bras et toisa le petit homme :

— Herr Doktor, faut-il vous répéter que ces papiers ne valent pas tripette ? Si vous insistez, je téléphone à la police.

Otto ne fit pas un geste, mais devint livide.

La colère saisit Gannon :

— Foutez le camp ! Je ne veux pas vous revoir ici !

Il avait crié si fort que la porte du salon s'ouvrit sur Axel, qui, médusé, assistait à cette scène finale ! Kellerman les papiers à la main s'enfuit dans la galerie.

130

— Qui est ce dingue ? Pourquoi est-il venu jusqu'ici ? demanda Elsener au journaliste.

— Un maître chanteur qui voulait me vendre des documents sans valeur.

— Au fait, dans sa trouille il a oublié sa serviette, fit Axel en désignant la sacoche de cuir noir restée sur le fauteuil.

D'un geste rapide, il la saisit et la lança à son ami. Les deux hommes s'élancèrent dans le large vestibule. A l'autre extrémité, Otto attendait l'arrivée de la cage d'acier.

Gannon s'écria :

— Herr Doktor, vous avez oublié votre serviette !

L'homme avait-il entendu ? Ou bien redoutait-il l'arrivée de la police dont il avait été menacé par le journaliste. Terrorisé, ne songeait-il qu'à fuir ?

L'ascenseur s'arrêta. Les battants glissèrent l'un sur l'autre. Kellerman se jeta littéralement dans l'ouverture.

Alors, avec la précision d'un joueur de boules professionnel, Gannon lança le porte-documents sur les dalles de marbre de la galerie.

La trajectoire fut parfaite. L'homme horrifié, les yeux exorbités, recula au fond de la cabine. La serviette parvint à pénétrer dans l'ascenseur une fraction de seconde avant la fermeture des parois métalliques.

Plantés debout, l'un à côté de l'autre, Mike et Axel regardaient cette scène avec des expressions intriguées. Quelque chose allait sûrement se produire. Mais quoi ? La face terrorisée de Kellerman préludait un drame.

L'attente ne fut pas longue ! Soudain, du rez-de-chaussée, parvinrent les échos d'une violente déflagration. Ce fut comme un coup de tonnerre. Ansi la sacoche contenait une bombe ! L'Américain et le Français furent projetés sur le sol, tandis qu'une épaisse fumée montait devant la cage grillagée. Lentement ils se relevèrent, secouèrent le plâtre qui, tombé du plafond recouvrait leurs vêtements et s'approchèrent du trou béant, mais ne virent qu'un nuage noir, tandis que dans l'hôtel des portes claquaient, des cris retentissaient poussés par des voyageurs arrachés à leur sommeil. Tout le palace était en effervescence.

— Mon Dieu, hoqueta Axel, quelle histoire !

— Qu'est-ce qui arrive ? jeta Laura qui était sortie de la suite, en tremblant de tous ses membres.

La belle Suédoise la suivait en criant :

— C'est une explosion de gaz !

Toutes les portes s'ouvraient sur des visages apeurés et bouffis de sommeil. Des questions sans réponse s'entrecroisaient et rebondissaient comme des balles de tennis.

— Ton père avait raison, dit Gannon à Axel. Tu aurais dû aller en Argentine.

CHAPITRE XII

La première réaction de Gannon fut : Sylvia !

Sa chambre était près de leur « suite ». Or, même si elle dormait à poings fermés, elle aurait dû sortir, comme tous les autres voyageurs qui, à présent, encombraient la galerie et commentaient cette incompréhensible déflagration.

Quelqu'un dit : « C'est peut-être la bande à Carlos qui a lancé une bombe. »

Le personnel alerté parcourait les couloirs, réconfortant les clients :

— Ce n'est pas un attentat. Juste un accident. Il n'y a plus aucun danger vous pouvez regagner vos chambres.

Voyant un valet qui passait, Gannon l'arrêta :

— Pouvez-vous ouvrir le 223 avec votre passe-partout ? Fraülein von Manyus qui l'occupe est une amie de ma famille, je désire la rassurer. Je vais lui dire que cet incident est sans gravité.

L'homme ouvrit la serrure. La chambre était plongée dans l'obscurité. Il tourna le commutateur. La lumière jaillit du plafonnier : la pièce était vide, le lit pas défait... La porte de la salle de bains largement ouverte prouvait qu'elle n'avait pas servi. Du reste il n'y avait aucune trace de bagage : Sylvia n'était pas revenue !

Axel qui s'était avancé sur le seuil, constata :

— Elle a filé sans même un mot d'excuses ! Mike, bon Samaritain, elle s'est bien moquée de toi.

— Je ne peux pas le croire.

— Tu veux nier l'évidence. Cette fille n'est pas stupide.

Elle a pensé que ton incroyable générosité cachait quelque chose de louche.

— Tu vois toujours le mauvais côté des choses.

— Je suis réaliste. Tu héberges une fille dans un hôtel de luxe et tu ne couches même pas avec elle. Réfléchis à la conclusion qu'elle doit en tirer...

— Quelle conclusion ?

— Elle a dû voir que tu avais remarqué ses traces de piqûres sur ses bras, et ta générosité lui semblant suspecte, elle s'est aussitôt méfiée...

— De quoi ?

— Que tu la dénonces. D'autant plus que tu es Américain et qu'aux U.S.A. on fait plus que jamais la chasse aux drogués. Elle pense peut-être que tu es un agent appartenant à la *Drug Enforcement Administration*... Ne regrette pas sa fuite ! Car jamais elle n'aurait parlé.

Au fond Elsener avait sans doute raison. Ce départ subit était effectivement une preuve.

Le chef de la police de Düsseldorf était moins sympathique que ses confrères français et américains.

Il s'appelait Karl Astrog, était grand, à structure de boxeur, et semblait avaler les cigares qui pendaient au bout de ses lèvres épaisses. Sous des sourcils broussailleux ses yeux gris et étroits avaient une mobilité extraordinaire. Rien n'échappait à son regard. Lorsque avec deux inspecteurs il vint dès le lendemain matin enquêter sur cette explosion (grâce à Dieu il n'y avait qu'une seule victime !) il se montra de fort mauvaise humeur.

Après avoir interrogé le portier et l'employé de la réception qui ne savaient pas grand chose sur ce petit homme qui avait été déchiqueté dans la cabine pulvérisée, il fit venir Gannon et Elsener qui en somme, étaient les principaux témoins. Karl Astrog eut un ricanement :

— Naturellement vous êtes tous deux des étrangers, des étrangers qui venez régler vos comptes en Allemagne.

Puis fixant Mike il ajouta :

— C'est sans doute vous, monsieur le journaliste qui étiez visé, car pour faire des reportages sensationnels, les échotiers n'hésitent pas à étaler l'existence privée des gens !

Cela ne plaît pas à tout le monde... Vous me dites que cet individu s'appelait Otto Kellerman ?

— C'est du moins l'identité qu'il s'est donnée.

— Elle était fausse. Nous avons retrouvé un passeport au nom de Nicolas Krakovi. C'était un Tchèque, et il venait de Bangkok. N'étiez-vous pas en Thaïlande, le mois dernier ?

— Si... mais c'est une simple coïncidence ! Je n'avais jamais vu cet homme, je vous l'ai déjà dit. Il est venu pour tenter de me vendre des documents sans valeur, et exercer sur moi un chantage pour obtenir des dollars. C'est quand je l'ai menacé d'avertir la police qu'il a filé en oubliant volontairement son porte-documents. C'est moi qui étais visé.

Karl Astrog se tourna vers Axel :

— Qu'avez-vous à dire sur la victime ?

— Rien d'autre. Je n'ai eu avec lui aucun entretien.

— Pourquoi ?

— L'inconnu voulait s'entretenir en tête à tête avec mon ami. Par discrétion, je me suis retiré.

L'autre bougonna :

— Bien... Bien... Mais cela ne vous a pas semblé étrange ?

— Vraiment, non.

— Cet après-midi, venez au commissariat à 15 heures précises, vous signerez tous les deux vos dépositions, dit le policier, d'une voix cassante, avant de se retirer.

Ils furent exacts au rendez-vous.

Cependant pour montrer son autorité Karl Astrog les fit attendre quarante-cinq minutes.

Un inspecteur grand et sec était seul dans l'immense pièce. Il s'adressa tout d'abord à Axel :

— Pourquoi n'avez-vous pas dit ce matin au commissaire que vous étiez le fils de Herr Elsener le grand industriel français ?

— Parce qu'il ne me l'a pas demandé.

— Vous auriez tout de même pu lui donner cette précision !

L'inspecteur d'un air gêné reprit :

— Il pensait que vous étiez un quelconque voyageur, il me charge de l'excuser.

Axel sursauta et sèchement répliqua :

— Je suis justement un Français comme un autre.

A cet instant une porte s'ouvrit et le commissaire apparut, sa physionomie était tout sourire :

— J'ai des excuses à vour faire Herr Elsener.

Avec dédain, Axel feignit de ne pas l'entendre. Sèchement il répondit :

— Nous sommes venus pour signer notre déposition.

— Pour vous, cette formalité est inutile, Herr Elsener.

— Comment cela ?

— Seul le principal témoin doit à nouveau me faire un récit détaillé de son entrevue avec Nicolas Krakovi.

D'un geste il montra à ses visiteurs les deux sièges qui se trouvaient en face de son bureau. Il s'installa lui-même dans son fauteuil, posa les mains sur le rebord de sa table et fixant l'Américain, poursuivit :

— Vous continuez à prétendre que vous ne connaissiez pas cet homme ?

— Effectivement. Je ne l'avais jamais vu avant cette nuit.

— C'est étrange...

— Comment cela ?

— Il venait de Bangkok, et vous-même, étiez dans cette ville il y a un mois. C'est du moins ce que vous m'avez affirmé.

— C'est la vérité.

— Drôle de coïncidence, ne trouvez-vous pas ?

Gannon se mordit les lèvres, il sentait la colère le submerger.

— Dites tout de suite que je vous ai menti.

— Je désire en tout cas avoir la preuve que vous n'avez jamais rencontré Krakovi.

Le journaliste eut un sourire narquois :

— Cela vous sera difficile depuis la Thaïlande.

— Ne mésestimez pas mes services. J'ai de bons enquêteurs. D'ailleurs quand je mène une affaire, le temps ne compte pas pour moi. Je suis patient, très patient.

Il fit une pause, ouvrit la boîte d'ébène qui était devant lui, sortit un cigare, en coupa l'extrémité avec ses dents, craqua une allumette, passa doucement la flamme tout le long de l'enveloppe, puis tira enfin une bouffée qu'il rejeta lentement, en suivant des yeux le nuage de fumée bleuâtre. Toute cette opération avait duré presque cinq minutes. C'était vrai, le policier n'était pas pressé. Il prenait son temps. Il venait de le faire comprendre à ses visiteurs. Enfin il poursuivit :

— Herr Gannon, vous m'avez parlé de certains documents que le terroriste voulait vous vendre ?

— C'est exact. Mais je vous ai dit que ceux-ci étaient sans valeur.

— Voyez-vous, il m'est venu une idée.

— Vraiment ? jeta Mike d'une voix mordante.

— Pour écrire ses articles, un journaliste doit forcément se documenter à bonne source.

— Évidemment... mais...

Karl Astrog l'interrompit d'un geste :

— Laissez-moi poursuivre, voulez-vous ? Votre journal ne doit pas lésiner pour rétribuer ceux qui peuvent renseigner ses correspondants. Admettons que ce Krakovi vous ait fourni des tuyaux intéressants et qu'en quittant Bangkok vous ayez oublié de lui remettre la somme promise... alors il est venu jusqu'à Düsseldorf pour la réclamer ou se venger en cas de refus de votre part.

En entendant telle accusation Gannon avait bondi. Indigné il s'écria :

— Monsieur le Commissaire, je vous interdis de faire une telle supposition. Une supposition singulièrement outrageante.

En voyant son ami sur le point de sauter à la gorge de Karl Astorg, Axel s'interposa :

— Je t'en prie, Mike, modère-toi...

Puis se tournant vers le policier qui avait pâli, il ajouta :

— Monsieur le commissaire, vous n'avez pas le droit, sans preuves formelles, de douter de la parole d'un honnête homme !

Visiblement impressionné par la personnalité du magnat de l'industrie, l'autre tenta de rattraper sa gaffe :

— Je n'avais émis qu'une hypothèse.

— Mais qui était singulièrement blessante.

— Lorsqu'on mène une enquête sérieuse — car cette bombe pouvait tuer des innocents — on doit tout envisager. C'est le devoir d'un enquêteur.

Subitement Gannon intervint :

— Il faut que je vous fasse un aveu. Si j'ai été visé c'est que je cherche un réseau de trafiquants de drogue. Je suis

137

sur une piste, et j'ai tout lieu de croire qu'il y a dans la région un gros bonnet que je dois terriblement gêner.

Il s'arrêta. Allait-il prononcer le nom de Braun ? Non, ce serait une erreur. Cet homme devait être au-dessus de tout soupçon...

— Qu'est-ce que vous dites ? fit le commissaire en sursautant. Vous voulez faire notre travail ?

— J'ai des raisons personnelles pour démasquer moi-même un tel individu.

Karl Astrog haussa les épaules :

— Je vois ! Vous ne croyez pas à l'efficacité de nos services ? Sachez qu'une partie de notre routine quotidienne est de faire la chasse à ces trafiquants. Des bandes qui se dévorent entre elles. Nous retrouvons des cadavres dans le Rhin. Ce sont généralement des victimes des règlements de comptes. La guerre de la drogue laisse de nombreux cadavres sur sa route. Ces individus sont impitoyables.

Il eut un geste vague, ébaucha un sourire :

— Nous ne nous donnons même pas la peine de les identifier. D'où viennent-ils ? Qui sont-ils ? Des apatrides... des clandestins sans identité...

Axel et Mike sursautèrent. Comment un policier pouvait-il parler avec une telle désinvolture ?

L'Américain jeta d'un ton narquois :

— En somme si mon existence se terminait chez vous, personne ne serait averti !

Le commissaire protesta :

— Vous plaisantez. Si l'un ou l'autre était assassiné cela me vaudrait bien des ennuis. Avec vous je ne pourrais retourner librement à mon travail après avoir laissé vos cadavres à l'abandon...

— Petite consolation, répliqua Axel.

Gannon enchaîna :

— Dans ce cas nous allons essayer de ne pas être jetés dans les eaux glauques du fleuve.

Mais, insensible à l'humour, Karl Astrog continuait en hochant la tête :

— Vous avez échappé tous deux à un attentat. Vous n'aurez peut-être pas autant de chance une prochaine fois. Regardez la rue, poursuivit-il en s'approchant de la croisée.

— Voyez ces voitures, ces bus, des piétons anonymes. Il y

a des employés, des médecins, des avocats. Celui que vous cherchez est peut-être parmi eux.

Gannon s'était avancé et regardait la chaussée. Une coulée de soleil à son déclin la sectionnait, laissant une partie dans la pénombre, qui, tout à coup, lui parut inquiétante...

N'était-ce pas l'image de sa destinée ?

Il ne voyait qu'une seule face de ce qu'il cherchait, l'autre demeurait dans l'obscurité. Une obscurité terriblement dangereuse qui pouvait receler de multiples pièges. Alors, pour la première fois, il se demanda si l'aventure dans laquelle il s'était lancé n'était pas vouée à un échec certain ?

Il s'était jeté, tête baissée, dans un abîme dont il n'avait pas mesuré la profondeur ! Tragique jeu de hasard que de jouer sa chance contre des partenaires qui avaient entre les mains des cartes truquées !

Tandis que ces pensées s'agitaient dans son cerveau et qu'il fixait le va-et-vient des passants, Axel s'était approché des ordinateurs — un panneau impressionnant qui occupait tout le fond de la pièce avec ses six écrans, ses multiples boutons alignés au-dessus d'une rangée de manettes. Fasciné — rompu à cette science ésotérique pour les non-initiés — d'un seul coup d'œil il avait enregistré le fonctionnement des claviers. Il posa alors timidement un doigt sur une touche, puis découvrit un manuel posé sur une planchette et le feuilleta fébrilement.

Karl Astrog poursuivait sa conversation animée avec Mike et lui expliquait :

— Tous les suspects, du moins ceux que nous fichons comme tels, sont sur nos ordinateurs.

— Ils sont nombreux ?

— Il y en a des centaines. Croyez-moi, Herr Gannon, renoncez à votre folle idée de vengeance. Si vous persistez, je n'aurai pas d'autre choix que de vous coller dans un bateau en partance pour Bremerhaven et je laisserai à mon collègue le soin de s'occuper de votre cadavre.

Le journaliste fronça les sourcils, son visage se durcit :

— Monsieur le commissaire, laissez-moi vous dire une chose.

— Quoi donc ? fit l'autre faussement désinvolte.

— Vous êtes le troisième flic qui me chantez le même refrain.

Subitement radouci devant la colère subite de Mike, Karl Astrog répliqua :

— Un peu de bon sens ! On ne peut rien faire. Ce sont de trop gros bonnets.

Entre ses dents, le reporter jeta :

— Je m'en moque, Herr commissaire. J'ai vraiment le désir d'avoir leurs peaux et de vous les apporter sur votre seuil.

Les interrogations de l'âme qui, quelques instants plus tôt, l'assaillaient s'était brutalement effacées... L'image de Meg lui insufflait soudain le désir de venger sa mort.

Tandis que cette discussion se poursuivait entre les deux hommes, avec dextérité Axel avait dévissé un écrou, pris une pièce et tout remis en ordre. Glissant celle-ci dans sa poche, il revint près de Gannon au moment où le commissaire se tourna vers le Français :

— Faites entendre raison à votre ami, je doute de le convaincre...

Conciliant, l'autre répliqua :

— Je vais essayer !

Ne tenant pas à demeurer plus longtemps dans le bureau d'Astrog, maintenant qu'il avait obtenu ce qu'il désirait, Elsener continua :

— Monsieur le commissaire nous nous tenons à votre disposition.

Le policier, heureux visiblement de se débarrasser de ces lascars, ne les retint pas. Il leur tendit la main :

— Je vous remercie d'avoir répondu à ma convocation. Je crois que l'essentiel a été dit.

En quittant le commissariat, Gannon écumait de rage.

— Ce Karl Astrog est un véritable salaud !

— Calme-toi, il aurait pu exiger que nous restions pour prolonger un inutile interrogatoire. Rien que pour t'embêter !

Ils venaient tous deux de franchir la haute porte du grand bâtiment quand ils furent littéralement assaillis par un groupe d'une dizaine de personnes. Des journalistes, des reporters, des photographes les cernèrent.

Que se passait-il ?

Gannon comprit immédiatement en reconnaissant à la tête de cette nuée de sauterelles, les cheveux cuivre d'Amy Mac Kenzie.

Grands dieux, il pourrait faire le tour du monde, il la retrouverait donc toujours sur sa route ! Elle était là, plus fringante que jamais, moulée dans un jean's, les yeux protégés par de larges lunettes cerclées d'or...

Elle marchait en faisant valoir sa plastique au milieu des journalistes qu'elle avait alertés, et cria :

— Hello, Mike ! J'arrive à point.

— Que dites-vous ?

— Il paraît que cette nuit vous avez échappé à un attentat ? Darling...

Elle lui plaqua un baiser sur la bouche, un baiser brûlant, pour montrer à tous que le célèbre journaliste était un ami très cher.

Aveuglé par les flashes des photographes, tentant vainement de fuir, l'Américain se vit contraint de répondre aux questions qui fusaient de tous côtés.

— Mike, pourquoi cette visite à Düsseldorf ? C'est un événement.

— La télévision veut une interview.

— Pourquoi êtes-vous venu incognito ?

— On aurait déployé pour vous un tapis rouge à l'aéroport...

De son côté Axel était également assiégé par deux correspondants de presse :

— Est-ce vrai que votre firme va vendre des avions à la Chine ?

— On dit que l'I.E.C. vient de signer un contrat avec l'émir du Koweit ?

— L'I.E.C. a un attaché de presse, adressez-vous à lui, messieurs...

— Gannon, votre passage à la télévision va être un événement.

— On vous attend ce soir dans nos studios, à huit heures précises, dit un petit blond d'un ton sans réplique.

Axel qui s'était retourné pour regarder son ami et qui lisait sur son visage un désir éperdu de fuite, intervint :

— Accepte ! Moi, je file à nos bureaux. Viens au plus vite m'y rejoindre.

— Pourquoi ?

— Je te l'expliquerai.

Adroitement, il s'évada du groupe et voyant un taxi libre, il sauta à l'intérieur de la voiture.

Le soleil avait disparu à l'approche du soir. Des nuages couraient sur le ciel pâle et la température s'était soudain rafraîchie.

Les passants remontaient le col de leur vêtement. Le taxi passa devant Oststrasse, cette large artère bordée d'arbres dont les feuilles frémissaient sous le petit vent perfide et glacé venu du nord. Après avoir abordé la célèbre Königs Allee derrière laquelle s'élèvent les édifices rectilignes et massifs des grands consortium, Axel vit soudain flotter au-dessus de l'un d'eux le pavillon de sa firme.

En arrivant au building de l'I.E.C. il s'engouffra dans un ascenseur et monta directement au quatorzième étage, là où se trouvaient les salles réservées aux ordinateurs.

La « A » et la « B » étaient occupées, mais la « C », la plus sophistiquée, était libre... Une chance ! Par routine, la plupart des ingénieurs préféraient opérer sur les appareils les plus anciens.

Il alerta l'employée qui contrôlait les entrées. C'était une femme entre deux âges, à l'aspect rébarbatif derrière ses lunettes à montures d'acier, qui, en reconnaissant l'héritier de l'empire industriel, quitta précipitamment le siège pivotant qui se trouvait derrière un petit bureau chromé.

— Herr Elsener, qu'y a-t-il pour votre service ?

Elle était si émue que sa voix chevrotait.

— Frau... Personne ne doit franchir le seuil de la porte « C » où je vais me trouver, sauf mon ami américain Mike Gannon qui doit venir me rejoindre.

— Herr Elsener, vous pouvez compter sur moi.

Aucun doute ; à son attitude combative, il sut qu'elle serait un redoutable cerbère.

Axel pénétra dans la salle circulaire, imposante avec son plafond lumineux. Des tubes au néon, camouflés dans les corniches, répandaient une clarté irréelle.

Quatre écrans s'alignaient sur un mur en demi-cercle, au-dessus des claviers aux touches rouges, vertes, blanches et noires qui, chacun commandait un registre déterminé.

Rompu aux secrets des plus modernes ordinateurs, Axel tourna différents boutons. Des clignotants multicolores s'allumèrent tels de mystérieux signaux.

Il abaissa plusieurs manettes, puis sortit de sa poche la

disquette subtilisée dans le bureau de Karl Astrog et la glissa dans une cavité qui l'avala aussitôt.

Il s'installa sur le tabouret à roulettes qui se trouvait devant le tableau de cet ordinateur géant.

Le fonctionnement de ce nouvel appareil ne présentait aucun problème. Le travail exécuté par les multiples opérations complexes qui aboutissaient aux données arithmétiques et logiques était pour lui un jeu d'enfant. Sur l'écran de visualisation qu'il avait choisi, des signes cabalistiques s'imprimèrent en caractères verts, tels des hiéroglyphes. C'était un langage chiffré, mais il connaissait la clé du code. Grâce à sa mémoire infaillible, il avait photographié tous les signes en feuilletant rapidement le manuel qu'imprudemment le commissaire avait laissé près de son ordinateur.

Un écart de quatre points pour les consonnes, de deux pour les voyelles, les articles formaient seulement un trait... Un demi-cercle correspondait à un pronom... puis, sans ordre apparent des lettres s'inscrivaient sur la surface polie.

Cette sténographie assez particulière s'inscrivait sans défaillance au fur et à mesure dans son cerveau... Cependant comme le rythme était trop rapide et qu'il désirait en conserver les lignes, il mit en marche l'imprimante qui cracha sur le rouleau de papier le texte qu'il désirait conserver.

Tout à coup, derrière lui, la haute stature de Gannon s'encadra dans la porte. Ce dernier s'écria :

— Enfin j'ai pu me libérer de cette horde de sauvages. Ah ! cette Amy Mac Kenzie, je la retiens...

Puis s'approchant de son ami qui lui avait à peine jeté un coup d'œil, intrigué il lui dit :

— Que fabriques-tu devant cette mécanique ?

— Je travaille pour toi.

— Pour moi ? dit l'autre étonné.

— Parfaitement. J'obtiens de précieux renseignements.

— Comment cela ?

— Tandis que ce prétentieux Astrog te montrait la rue en te débitant toutes ses âneries, à savoir que jamais tu ne pourrais réussir à démasquer le chef des trafiquants de drogue qu'il connaît sans aucun doute, je lui ai subtilisé une précieuse disquette sur laquelle sont consignés tous les renseignements que nous désirons connaître.

— Tu obtiens un résultat ?

Le visage illuminé, Axel regarda son ami :

— Et comment ! Tu vas être abasourdi. Miraculeusement je suis tombé sur la précieuse disquette qu'avec méthode et stupidité d'ailleurs il avait soigneusement rangée dans le casier sur lequel il y avait une étiquette : Drogue... Pour moi quelle aubaine ! Attention, le rouleau est terminé.

Il manœuvra une touche pour arrêter l'ordinateur et récupéra la bande imprimée, puis lança joyeusement :

— Maintenant je vais traduire le texte. Je crois que nous allons avoir quelques surprises.

— Je me demande comment tu vas y parvenir. Tout ceci me paraît être un langage assez hermétique, répliqua Gannon qui ignorait que son ami avait pu prendre connaissance du code secret d'Astrog.

Axel eut un sourire sous-entendu :

— Tu vas voir...

Il lui désigna un siège de cuir placé devant une table.

— Tout d'abord asseyons-nous confortablement.

Il prit un bloc de papier posé sur un pupitre et le tendit à son ami :

— Tu vas noter tout ce que je vais déchiffrer.

Le Français saisit le ruban imprimé et le déroula.

— Attends, je te fais grâce des numéros de classement qui pour nous n'ont aucun intérêt.

Attentif il se penchait sur les caractères. Triomphant il s'exclama :

— Braun : Premier suspect... Puissantes relations ne peut être appréhendé directement... Intouchable.

Axel releva la tête et regarda son ami :

— Tu entends, il y a écrit « intouchable ». Ces salauds de policiers, ils savent mais se taisent.

— C'est sans doute un trop gros poisson.

— Ce Braun a sûrement des appuis politiques.

— Pas pour moi, grinça Gannon. Mais lis la suite, ajouta-t-il fiévreusement.

— Orsini : candidat sérieux à la présidence du Marché commun... également intouchable... Intouchable.

Gannon sursauta violemment :

— Ils sont donc tous intouchables !

— Pour la police et les autorités, mais pas pour nous. Oh !

Axel s'était courbé et levait la main :

— Encore un autre nom.

— Que lis-tu ?

— Ayatollah Dibah.

— Qu'est-ce que c'est ? Drôle de nom !

— Levantin sans aucun doute. Peut-être un roi du pétrole, ajouta-t-il en pressant un bouton, mais il s'exclama :

— Zut...

— Que se passe-t-il ?

— Il n'y a que ce nom sans précision...

— C'est peut-être une fausse identité, qui en cache une autre.

Axel releva la tête et fronça les sourcils :

— Figure-toi que j'y ai pensé. Si cet homme était Keyer...

— Nous finirons bien par le démasquer !

— En attendant qu'allons-nous faire ?

— Demain, nous irons chez Braun. Wolf Keyer fait partie de son club. Il ne sera pas difficile de demander à visiter ses fameuses caves.

— Sais-tu où il réside ?

— Dans la banlieue de Düsseldorf à Grafenberg. Joli coin à la lisière du Statwald cette magnifique forêt qui est un centre touristique renommé.

Tout en parlant, ils avaient quitté la salle « C ». Lorsque l'ascenseur les déposa dans le hall, Amy se trouvait devant eux...

Gannon se rejeta en arrière, mais elle se précipita vers lui.

Elle n'était pas seule, le journaliste blond l'escortait :

— Vous avez voulu filer, alors que nous pensions vous conduire à la station de télévision pour votre émission ? S'écria ce dernier.

Amy ajouta :

— Heureusement qu'avec la bagnole de Rodolphe nous avons pu vous suivre.

— Herr Gannon, je vous en prie venez immédiatement.

— Les techniciens ne vous attendront pas.

Axel intervint :

— Vas-y. Tu as le devoir de ne pas décevoir tes confrères.

— Bien parlé Elsener, s'écria Amy en souriant au Français. Puis prenant l'Américain par le bras elle ajouta :

— Votre style flamboyant, vos enquêtes percutantes font de vous une vedette. Vous n'avez pas le droit de vous défiler. C'est une obligation.

145

Elle avait raison : n'avait-il pas promis de paraître sur le petit écran ? Et puis à la télévision il allait pouvoir parler, dire ce qu'il pensait des trafiquants de drogue et qui sait ? Flanquer la frousse à certains.

Une demi-heure plus tard, il était en quelque sorte un héros sous les feux des projecteurs. Menton haut, bouche amère, il parla de sa dernière croisade autour du monde, de ceux qu'il désirait poursuivre et qui contaminent la jeunesse et sont des criminels... Aucune balle, aucune bombe n'aurait pu l'arrêter. Il ne laissa rien dans l'ombre. Mais au fur et à mesure qu'il parlait, il se rendait compte de son ignorance en cette matière.

Néanmoins, sa voix avait un impact extraordinaire sur les téléspectateurs. Autour de lui les techniciens s'affairaient. C'était une grande première.

Il termina par ce conseil :

— Mesdames, Messieurs, Pères et Mères de famille, vous avez un devoir à accomplir... Si un jour, vous vous apercevez que ceux qui vous entourent sont contaminés par ce terrible fléau, surtout ne vous insurgez pas avec violence ! Songez que ceux qui sont atteints sont des malades. Il faut donc leur redonner le goût de vivre et les soigner avec amour. Suscitez leur confiance. Obtenez leurs confidences. Qu'ils vous révèlent les noms de ceux qui leur procurent cette drogue mortelle ! N'hésitez pas alors à prévenir les autorités. Ceux qui vendent ainsi la cocaïne ne sont que de misérables petits trafiquants. Mais par eux la brigade de la lutte contre les stupéfiants pourra remonter jusqu'à la source, jusqu'à celui que j'appelle « Mister Big », l'homme qui se trouve au sommet de cette pyramide, cet individu qui s'enrichit sans scrupule en tuant d'innocentes victimes. Cet homme ! j'ai fait le serment de le démasquer... Oui ! je me suis promis de l'abattre...

Un tonnerre d'applaudissements retentit dans le studio où se tenaient une cinquantaine de spectateurs.

Cette apparition à la télévision était un acte de courage terriblement risqué. Gannon, le visage découvert, avait annoncé qu'il déclarait une guerre sans merci aux pourvoyeurs de drogues.

Il devenait donc pour eux l'ennemi numéro 1.

Ce fut la pensée d'Axel lorsque, plus tard, son ami le rejoignit au Park Hôtel.

Rien ne subsistait du drame de la nuit précédente.

Avec une rapidité stupéfiante, des ouvriers avaient remis la grande galerie en état et une cage d'ascenseur neuve remplaçait celle qui avait été pulvérisée.

Lorsqu'il pénétra dans leur suite, Gannon poussa un soupir de soulagement en constatant qu'Amy Mac Kenzie n'y était pas.

Connaissant son audace il avait craint de la retrouver avec Elsener. Il s'exclama :

— Tu es seul, quelle veine ! Je redoutais la présence de cette dangereuse et trop ardente consœur.

— J'ai eu de la peine à m'en débarrasser et ai dû lui raconter un bobard. Elle ignore, pour le moment, que nous sommes descendus ici, mais elle ne sera pas longue à l'apprendre et demain au plus tard, elle va surgir.

— Cette fille est comme de la seccotine.

— Ne te plains pas d'être trop aimé, plaisanta Axel en faisant sauter le bouchon de la bouteille de champagne qu'il avait commandée pour fêter le triomphe que Mike venait d'obtenir à la télévision.

Lui désignant le poste qui occupait un angle du salon, il lui dit :

— Tu as été formidable, mais peut-être imprudent... Ce « Mister Big » que tu recherches ne va pas attendre pour frapper d'être démasqué, ajouta-t-il en songeant à Braun.

— Tiens, voici l'heure des informations. Si nous écoutions les nouvelles, dit Mike en mettant le téléviseur en marche.

Un journaliste apparut sur le petit écran. Il annonça d'abord les derniers événements politiques. Peu de changements dans la situation internationale. L'alternative de la tension et de la détente. Toujours des flambées de terrorisme à travers le monde. Puis enfin les nouvelles locales.

Alors, avec stupeur, le Français et l'Américain apprirent que l'explosion de la nuit précédente dans un grand hôtel de la ville — dont le nom n'était pas cité — était un incident dû à l'imprudence d'un voyageur qui avait emporté dans ses bagages une bouteille de gaz !

Prudence de la police qui voulait éviter une panique possible en parlant d'un attentat ?

Mais, tous deux sursautèrent, en entendant le speaker déclarer que malgré les recherches on ne pouvait identifier le motocycliste qui, brûlant le feu rouge à l'intersection de l'Eiskeller Strasse et de la Ritter Strasse, avait la veille renversé et tué sur le coup une jeune étudiante : Sylvia von Manyus qui serait une lointaine parente du célèbre général.

Ils eurent la même réaction. Mike s'écria :

— Étrange coïncidence ! Cette motocyclette qui nous suivait... Ces coups de feu tirés dans notre direction... Ne crois-tu pas ?

L'autre interrompit :

— Ceux qui te pistent se sont sûrement doutés que tu la ferais parler. Alors, ils n'ont pas hésité et ont employé les grands moyens...

— Pauvre gosse ! Je suis bouleversé. C'est ma faute !

Gannon sentit sa gorge se contracter et une immense tristesse l'envahit. Il se croyait responsable de ce crime. Pour lui, ce n'était pas un accident.

Il se laissa tomber sur un siège la tête entre les deux mains. Il revoyait le regard clair de Sylvia. En somme en voulant la sauver, il l'avait envoyée à la mort. Cette conclusion prouvait qu'il était épié dans l'ombre.

Songeur, Elsener lui dit :

— Je pense qu'après ton apparition spectaculaire à la télévision, ta vie va être sérieusement menacée. Braun n'est pas loin, tu dois quitter Düsseldorf.

— Demain nous devons lui rendre visite.

— Justement, ensuite il faudra quitter cette ville.

— Attendons l'arrivée du cargo « Essen » !

— Il n'arrivera que dans dix jours à Bremerhaven. Brouillons les pistes et quittons l'Allemagne durant une semaine.

— Nous allons regagner Paris ?

— Non ! Nous irons en Suisse.

— Pourquoi en Suisse ? demanda Mike, étonné.

— Parce que tandis que tu passais sur le petit écran j'ai pu apprendre une chose fort intéressante. Orsini, le second suspect de la liste, ce candidat à la présidence du Marché commun est justement à Crans sur Sierre, car il adore le ski. Tu aimes également les sports d'hiver. Nous nous arrangerons pour le rencontrer.

Gannon avait pâli. Il évoquait le souvenir de Meg qui

aimait tant skier, et vit également en filigrane l'ombre indistincte d'Orsini, ce meurtrier. Lui aussi devait payer.

Axel poursuivait :

— Je vais téléphoner immédiatement à la Swissair. Nous nous envolerons avant quarante-huit heures.

Il saisit le combiné téléphonique et eut aussitôt la communication. Après une longue discussion, il parvint à obtenir deux places sur un vol pour Genève pour le lendemain à la fin de l'après-midi. Il reposa le récepteur :

— Il n'y a pas de ligne directe nous serons obligés de changer à Munich. C'est préférable, cela brouillera mieux les pistes. La sonnerie du téléphone vibra, Axel décrocha :

— Allo ? J'écoute.

— Pourrais-je parler à Mike Gannon ?

Il avait reconnu la voix de Gabriella. Posant sa main sur le récepteur, il fit signe au journaliste et murmura :

— C'est pour toi. C'est l'Eurasienne. Je vous le passe, dit-il tout haut, en tendant le récepteur à son ami.

D'une intonation vibrante d'enthousiasme, sa correspondante s'écria :

— Je viens de vous entendre à la télévision. Vous avez été formidable. Vous faites une merveilleuse croisade humanitaire ! Si cela est en mon pouvoir je ferai tout pour vous aider.

— Je vous en remercie bien sincèrement.

— Je voudrais vous rencontrer le plus vite possible, car j'ai certains tuyaux intéressants à vous communiquer.

— Vraiment ?

Tandis qu'elle parlait, la physionomie de Mike montrait un profond scepticisme.

Elle poursuivit :

— Justement, ce soir je suis libre. Wolf Keyer est invité à dîner chez des amis qui habitent à Solingen. Il rentrera très tard. Nous pourrions, peut-être, dîner ensemble ?

— Pourquoi pas ?

— Je connais un restaurant où nous serions très bien.

— Je vous écoute.

— C'est le Rheinterrassen, au 7 Hofgartenufer. Il y a une très belle vue sur le Rhin. La nuit les bateaux ressemblent à de brillantes lucioles.

— Cela me paraît très sympathique, répondit Gannon qui

se demandait si ce rendez-vous imprévu ne cachait pas un piège.

— Voulez-vous que nous nous y retrouvions à vingt et une heures. Nous avons trois quarts d'heure devant nous.

— D'accord.

— Nous nous retrouverons au bar.

— Très bien.

Il lui dit encore un mot aimable et reposa le combiné. Axel eut un sourire narquois :

— Elle te fait du « gringue ». Tu feras bien de te méfier !

— A qui le dis-tu ! Elle ne m'inspire absolument pas confiance. Pour moi, elle va essayer de me tirer les vers du nez. Mais c'est moi qui vais l'interroger sur Wolf Keyer. Le bonhomme me paraît suspect.

— Mike, surtout ne lui dis pas que demain nous aurons quitté Düsseldorf.

— Sois tranquille.

CHAPITRE XIII

Le passage de Gannon à la télévision avait eu une incroyable répercussion, non seulement en République Fédérale Allemande, mais également sur plusieurs chaînes européennes.

A Paris, ce même soir, Nicole qui rentrait d'un vernissage dans une galerie de tableaux, rue du faubourg Saint-Honoré, en pénétrant dans son living mit comme d'habitude le contact de son téléviseur sur la 2e chaîne. C'était l'heure des informations.

Avant de changer de robe pour aller dîner dans un Club avec des amis, elle se laissa tomber dans un fauteuil. Elle vit d'abord apparaître sur l'écran le visage familier de Christine Ockrent dont la diction parfaite et l'intelligence, la placent au premier plan des journalistes de la T.V. française.

Après avoir commenté les dernières nouvelles internationales, la speakerine enchaîna :

— A présent, je vais céder la place à mon illustre confrère américain : Mike Gannon qui, depuis Düsseldorf, vient de faire un retentissant réquisitoire contre les trafiquants de drogue qui sont, dit-il, les plus grands criminels de notre époque.

Lorsque l'image de Mike remplaça celle de la populaire journaliste, Nicole sentit son pouls s'accélérer.

Comme elle aimait Gannon ! Depuis qu'elle l'avait vu, pour la première fois sur une piste de ski ! Elle venait d'avoir dix-sept ans. Depuis trois années elle ne pensait qu'à lui.

Sans être beau au sens classique du terme, il y avait dans

151

les yeux de Mike un pouvoir de séduction qui la faisait vibrer tout entière dès qu'elle le voyait.

Tout en lui lui plaisait, sa bouche moqueuse, son air parfois farouche, sa fossette au menton.

Cette fille qui semblait terriblement moderne et émancipée était au fond une romantique.

Pourquoi, l'autre soir dans la boîte de nuit avait-elle réagi d'une façon si vulgaire ? Devant cette Amy Mac Kenzie qui embrassait Mike sur la bouche, une bouffée de jalousie lui avait fait perdre la tête. Cela avait été plus fort qu'elle !

Depuis, elle était pleine de remords et de honte. Lorsqu'elle avait surpris le regard glacé et méprisant que lui avait lancé Mike, elle s'était sentie comme poignardée.

Elle avait espéré un signe de Gannon, mais il avait quitté Paris. Voilà que tout à coup elle apprenait qu'il était à Düsseldorf.

Brusquement elle pensa : « Je vais aller le rejoindre. Il a pour moi de l'affection, il ne me repoussera pas. Il est libre, il a été très malheureux car une femme dépensière, coquette et infidèle a gâché son existence ; il a perdu sa fille et il est seul, mais je serai là ! »

Elle lui ferait oublier le passé... Avec elle, il connaîtrait enfin la douceur d'un foyer.

Certes, pour parvenir à cette conclusion heureuse, elle devrait surmonter bien des obstacles... Ses parents lui feraient remarquer la différence d'âge... Puis la vie vagabonde de cet homme qui parcourait le monde... Qu'importe, elle l'escorterait partout... Elle ramènerait ainsi de ces périples des souvenirs tangibles... Des souvenirs plus émouvants que ceux que rapportent un voyageur qui ne fait qu'entasser des clichés... Des images, belles certes, mais incomplètes, si elles ne s'accompagnent d'aucune vibration des sens... Elle pourrait lui dire, en évoquant leurs randonnées :

« Te souviens-tu Mike, lorsque nous nous sommes aimés devant le Kilimandjaro ? »

Ou bien, se blotissant entre ses bras, elle lui rappellerait des instants précis :

« Nous avions au-dessus de nous la nuit étoilée de la Croix du Sud, quand tu m'as faite tienne d'une façon si merveilleuse et si sauvage... »

Et le film de leurs randonnées pourrait sans fin défiler dans sa mémoire...

Elle voulait effacer l'épisode lamentable du cabaret, sa rancune s'était peu à peu estompée... Mike était celui qu'elle aimait... Il était son dieu... On pardonne tout à celui qu'on adore...

Le regard perdu, elle demeura longtemps devant le petit écran sur lequel se succédaient maintenant des images qu'elle ne voyait pas...

Elle n'avait plus qu'une seule pensée : rejoindre Mike et parvenir à se faire aimer de lui...

Lorsque Gannon pénétra dans le bar du restaurant Rheinterrassen, Garbriella était déjà au fond de la salle devant un verre de whisky. La lumière proche d'un lampadaire l'arrachait à la pénombre qui régnait dans les lieux.

Elle portait un très bel ensemble de soie violette éclairé par un collier de jade et de diamants. Une cape de renard traînait sur le dossier d'un fauteuil.

Dès qu'elle aperçut l'Américain, elle lui fit un petit signe de la main et lui adressa un sourire radieux :

— Comme je suis heureuse de votre venue !

Elle lui tendit sa main aux longs ongles laqués d'or. Il déposa un baiser léger sur son avant-poignet.

Ce geste lui plut. Sa bouche eut un frémissement et elle ferma à demi les paupières. Elle reprit :

— Savez-vous qu'à la télévision, vous avez été follement imprudent en dénonçant ce « Mister Big » que vous poursuivez. Croyez-moi, il n'est pas seul. Il y a beaucoup de « Mister Big » qui font ce commerce clandestin, surtout parmi les hommes d'affaires. Combien de firmes feraient faillite sans l'apport de cette manne providentielle ! Si d'un côté la drogue tue, de l'autre, elle permet à des ouvriers de vivre.

En terminant cette phrase elle avait pris son gobelet et faisait tinter les glaçons contre le cristal.

Le maître d'hôtel vint les prévenir que leur table, en bordure de la terrasse, était prête.

Gabriella avait raison, la vue sur le Rhin qui, sous les lumières, semblait une coulée d'argent, était merveilleuse.

153

Un ciel translucide ajoutait une note irréelle à ce tableau.

L'Eurasienne, habituée de ce restaurant, composa le menu :

Elle dit au maître d'hôtel, un grand blond qu'elle appelait Hans :

— Nous prendons de la truite saumonée qui est votre spécialité et du Riesling.

Elle ajouta à l'adresse de Gannon :

— J'adore ce vin du Rhin dont la noblesse est nuancée de verdeur et de gaieté.

Si la salle avait de nombreux clients, l'endroit où ils se trouvaient était isolé.

Gannon ne se faisait guère d'illusions, Gabriella, pas farouche, voulait nouer une aventure avec lui. Elle était belle et lui un homme extrêmement désirable. Mais il ne voulait pas tomber sous le charme de cette sirène qui devait être une créature extrêmement dangereuse.

Il lui posa quelques questions sur sa vie privée — les femmes adorent généralement ce genre d'indiscrétion — mais l'Eurasienne semblait muette. Mike lui dit :

— Wolf Keyer vous a présentée comme étant sa secrétaire. Cependant j'ai rencontré dans les bureaux de l'I.E.C. une certaine Erna qui prétend avoir ce poste.

— C'est exact. C'est pour respecter les convenances, surtout devant Axel Elsener qu'il m'a donné ce titre.

— Je pense que vous êtes beaucoup plus pour lui...

— Il vit séparé de sa femme et c'est moi qui la remplace. Ici à Düsseldorf notre liaison est, je puis dire, officielle. D'ailleurs il est possible que bientôt je l'épouse.

— Toutes mes félicitations.

Il reposa son verre qu'il allait porter à ses lèvres et demanda :

— Naturellement vous en êtes très amoureuse !

Avec cynisme elle rétorqua :

— Il me donne la vie luxueuse qui m'est indispensable, mais je ne l'aime pas.

— On ne peut être plus franche, décréta l'Américain en riant.

— Si je vous avais dit le contraire, vous ne m'auriez pas crue.

— C'est exact.

— Il est follement riche, dit-elle en fermant à demi les yeux.

Puis baissant la voix elle ajouta :

— Il a été blanchi, mais pendant la guerre il a travaillé pour Albert Speer, le ministre de l'armement et des productions de guerre de Hitler.

Gannon jeta d'un ton amer :

— Ces fabrications miracles ont, sans aucun doute, prolongé la guerre.

Regretta-t-elle la confidence qu'elle venait de faire ? elle ajouta vivement :

— A l'époque c'était un très jeune homme de seize ou dix-sept ans. Il n'était pas majeur pour juger sainement les choses. Un tribunal l'a acquitté. Il n'a jamais eu de sang sur les mains. C'est un enthousiaste entièrement dévoué à l'Internationale Elsener compagnie... Au fond il a le cœur d'un chien fidèle. Jamais il ne trahirait celui qui l'emploie ! C'est le côté sympathique de son caractère.

— Si je comprends bien vous avez pour lui de l'estime ?

— En auriez-vous douté ?

Elle se mit à rire, un petit rire cruel et qui parut à Gannon singulièrement inquiétant.

Il se pencha légèrement au-dessus de la table et put admirer le décolleté impressionnant qui voilait à peine les rondeurs de sa poitrine.

Après quelques secondes de silence, elle lui demanda :

— Est-ce que je vous plais ?

— Vous êtes une femme très attirante.

Elle saisit la main de Mike.

— Merci. Wolf me dit toujours la même chose.

— Est-ce indiscret de vous demander si vous lui êtes fidèle ?

Un sourire énigmatique glissa sur ses lèvres charnues.

— Votre question directe veut une réponse directe. Mike vous m'avez fascinée dès que je vous ai vu. Cette nuit je suis libre, voilà pourquoi je vous ai téléphoné.

Avec audace, le fixant, elle ajouta :

— Nous aurons le temps de faire plus ample connaissance et je suis certaine que cela sera merveilleux.

— Malheureusement, belle Gabriella, cette nuit je ne suis pas libre.

Elle sursauta :

— Est-ce une plaisanterie ?

— Lorsque je parle à une femme je ne plaisante jamais.

— Seriez-vous aussi mufle qu'Axel Elsener ? Quand il m'a dit...

Mais elle s'arrêta, ne voulant pas revenir sur la scène de la veille et sachant que l'héritier de la firme était l'ami de Gannon.

Si elle était déçue et sans doute mortifiée par le refus de Gannon de ne pas passer la nuit avec elle, elle sut se dominer pour se montrer « belle joueuse ». Gardant une sérénité apparente, elle bavarda de tout et de rien. Elle avait beaucoup voyagé et semblait disposer du monde pour le plaisir de la conversation. Elle était cultivée, remarquablement intelligente et avait des contacts avec des personnalités politiques influentes. Son jugement était sûr et incisif.

Elle devait être une précieuse auxiliaire pour Wolf Keyer ! Si un trafic s'opérait à bord des bateaux de l'I.E.C. elle ne devait pas l'ignorer.

Mais la sonder à ce sujet et obtenir d'elle des renseignements demandait beaucoup de diplomatie. Mike se montra prudent. Incidemment il dit :

— Il y a quelques mois j'ai vu à Valparaiso un des cargos de l'Internationale compagnie. C'était le Essen.

— Vous vous êtes trompé. Jamais ce bateau n'a été au Chili. Il assure seulement la liaison entre l'Europe et l'Amérique du Sud et emprunte alors deux routes différentes. Pour regagner Bremerhaven, il longe les côtes d'Afrique, le Portugal et la France et quand il redescend vers le Sud il met directement le cap sur Miami.

Ainsi Gannon venait d'obtenir un renseignement de première importance : jamais Keyer n'avait parlé de Miami, Miami où se retrouvent tant de trafiquants.

Le dîner étant achevé, Gannon et Gabriella quittèrent le restaurant.

La nuit était douce, claire et transparente, presque une nuit de printemps. Ils firent quelques pas en direction du parking où étaient rangées leurs voitures respectives.

Les talons de l'Eurasienne résonnaient sur le macadam avec une sorte d'impatience.

— Chère Gabriella, j'ai passé en votre compagnie une très agréable soirée.

Gannon avait passé son bras sous celui de sa compagne pour stopper sa marche.

Elle leva la tête, le regarda avec étonnement mais ne répondit pas. Il ajouta ;

— J'espère avoir bientôt l'occasion de vous revoir ?

Sa voix s'était faite enjôleuse.

Elle eut un petit frémissement et pour se donner une contenance, ramena sa cape de renard sur son décolleté.

— Chaque fois que vous me ferez signe, Mike, je me rendrai libre.

— Voilà une parole gentille.

D'un doigt il lui effleura la paume de la main. Elle emprisonna ses phalanges sur les siennes, parut hésiter et dit :

— Je voudrais vous donner un conseil.

— Je vous écoute.

— Quand vous avez parlé à la télévision, j'ai été effrayée par votre ton déterminé.

— Je ne comprends pas.

— Mike, abandonnez votre enquête pour rechercher les trafiquants de drogue. Certes vous êtes un grand journaliste et vous avez le pouvoir de forcer bien des portes, d'obtenir de nombreuses informations...

— Vous voyez bien que je peux réussir.

— Hélas non...

— Pourquoi ?

— Parce que ceux qui sont à la tête de tels réseaux sont plus puissants que vous. Sans hésitation, ils vous briseront !

Ainsi elle parlait comme Julian Flack l'inspecteur américain et Anicet le commissaire français. Il lui dit :

— Ces gens redoutables, vous les connaissez donc ?

Elle ne répondit pas. N'était-ce pas un aveu ?

Il continua :

— Si vous avez un peu de sympathie pour moi et si vous pensez que je suis menacé, avertissez-moi.

Elle eut un sursaut qui se voulait indigné :

— Mike, je ne suis pas un policier !

— C'est entendu. Cependant vous êtes très intelligente et vous avez de brillantes relations. Vous pourriez incidemment apprendre quelque chose. Bref, vous pouvez être beaucoup plus efficace qu'un détective.

— Où voulez-vous en venir ?

Il la sentit sur la défensive.

Il glissa son bras autour de sa taille et devina qu'elle se raidissait.

D'un ton persuasif, il ajouta :

— Je vous ai dit que vous connaissiez des gens importants. Or, il y a sûrement parmi eux celui que je recherche.

Il la fixait intensément en prononçant cette phrase. La lumière d'un des lampadaires qui ceinturaient la façade du restaurant éclairait le visage de Gabriella.

Elle rejeta son front en arrière. Il vit briller une lueur de désir au fond de ses prunelles. Alors avec fermeté il l'attira contre lui.

Ses lèvres s'entrouvrirent comme les corolles d'une fleur écarlate. Il n'avait pas le droit de la décevoir. Il se pencha davantage et lui prit les lèvres.

Ce fut un baiser à la fois impérieux et tendre, un baiser que certainement elle n'espérait pas.

Ses mains se crispèrent sur les épaules de Cannon, tandis qu'elle poussait un râle de bonheur. En cet instant, tout autre homme que Mike se serait cru maître de cette femme dont la sensualité semblait exacerbée. Mais il se méfiait. N'était-elle pas comme un animal sauvage qui peut vous donner un coup de griffe mortel ? Avec Gabriella il devrait toujours se tenir sur ses gardes.

Il se demandait comment il allait pouvoir s'évader de cette situation scabreuse, quand des voix s'élevèrent derrière eux. Un groupe de dîneurs sortant du restaurant se dirigeaient vers le parking.

Gabriella qui tenait à sa réputation, craignant d'être reconnue, se détacha vivement de Gannon et très haut lança :

— Bonsoir mon cher. Merci pour cette agréable soirée. A bientôt.

D'un pas ferme et rapide, elle traversa l'allée en direction de sa Mercedes blanche qui était à quelques mètres.

En arrivant à l'hôtel, Gannon s'arrêta au bar avant de remonter dans sa chambre. Il se fit servir coup sur coup trois drinks. Il éprouvait le besoin de s'évader du présent. Bientôt il eut l'impression que son esprit flottait dissocié de son corps.

Quand il se retrouva dans sa salle de bains, jetant un regard sur son miroir, il eut la sensation qu'il voyait devant lui un inconnu. Il s'endormit comme une masse, puis, tout à coup, se réveilla. Gabriella était devant lui. Comment était-elle entrée dans la pièce ? D'une voix suave elle lui dit :

— Darling, nous ne pouvions nous quitter ainsi. Alors je suis venue vous retrouver.

La lampe de chevet, restée allumée, éclairait sa silhouette qui semblait irréelle.

Elle portait une robe de gaze arachnéenne qui soulignait toutes les courbes harmonieuses de son corps aux proportions parfaites. Ainsi, sa beauté était fascinante, moderne Aphrodite digne de Praxitèle.

Il semblait à Gannon qu'un sortilège statufiait cette vision. Puis, tout à coup, Gabriella s'anima et s'approcha du lit. Il assista alors à un étrange phénomène : la brume du sommeil qui obscurcissait encore son cerveau se dissipa. Elle fut comme brutalement emportée par une bourrasque ou déchirée par une force cosmique dont il ignorait la puissance. Tandis qu'elle penchait son visage vers le sien il eut à nouveau l'impression d'être un autre lui-même. Il se redressa et glissa son bras autour de la taille flexible qu'il attira contre lui.

Chose stupéfiante ses gestes ne lui appartenaient pas, ils étaient commandés par une volonté inconnue qui se substituait à la sienne.

Les yeux à moitié clos elle murmura quelque chose qu'il ne comprit pas

— Que dites-vous ?

Elle eut un sourire lointain.

— C'est de « l'eskimo ». C'est ma langue natale. Mon grand-père était un explorateur français. Il passa de longs et rudes hivers dans l'Antarctique. On dit que les femmes y sont frigides. Nous sommes au contraire pleines d'ardeur.

Elle continua son dialogue, lui dit des choses qu'il n'écoutait même pas.

Les femmes aiment à analyser leur état d'âme. Mike s'en fichait complètement. Trop positif, il ignorait l'introspection.

— Tu ne me réponds pas, darling ?

Elle le fixa de ses yeux obliques. Des prunelles énigmatiques. Sa bouche frémissait.

Ayant fait glisser l'épaulette de sa robe, elle était entièrement nue.

Elle se serra plus étroitement contre lui.

Il percevait le rythme accéléré de son cœur.

Tout son corps était éperdument tendu vers lui, embrasé par le déchaînement de l'orage de sensualité qui la soulevait.

— Aime-moi, balbutia-t-elle d'un ton suppliant.

Elle s'offrait à lui avec une impudeur totale, une impudeur inimaginable.

Elle reprit comme s'il n'avait pas entendu sa première supplication :

— Mike... Aime-moi.

Il était certain de ne pas avoir envie de l'aimer, mais devant cette femme qui incarnait tant de sensualité et de perversité latente, une vague de désir monta en lui comme une lame de fond qui, en déferlant sur le rivage, emporte tout sur son passage.

Alors, il la prit avec brutalité et même avec haine. En la faisant sienne, il voulait l'avilir et lui prouver tout le mépris qu'elle lui inspirait. Y parvint-il ? Ce n'était pas certain, car dans les râles de volupté qui s'échappaient de la gorge de Gabriella il sut qu'elle subissait sa loi avec une frénésie qui confinait au délire.

Elle raconta ensuite :

— Un jour mon père se battit contre un ours polaire et l'issue du combat fut tragique.

Chose curieuse elle prononçait des mots qui étaient pour lui sans résonnance, comme les touches d'un piano mécanique qui égrène des notes sans diatonique, bref une musique sans harmonie...

Elle se serra encore plus ardemment contre lui. Visiblement éperdue de volupté, ivre de passion elle murmura :

— Mike... Mike... Je n'ai jamais connu un tel bonheur.

Que voulait-elle dire exactement ? Gannon ne conserva qu'un souvenir confus des minutes qui suivirent.

Bientôt, il sombra dans un sommeil profond.

Le ciel pâlissait lorsqu'il ouvrit les yeux.

Il était seul dans son lit. Gabriella avait disparu. Que s'était-il passé ? Ces instants exceptionnels et insolites demeuraient cependant inscrits dans sa mémoire. Dans la pièce tout était parfaitement en ordre.

Il se leva et regarda attentivement chaque objet de sa chambre, visita la salle de bains.

Rien ne subsistait du passage de sa visiteuse nocturne. Le

verrou de la porte était poussé. Comment était-elle entrée et ressortie de la pièce ?

N'avait-il pas rêvé ?

La maison de Mannfred Braun s'élevait au fond d'un grand jardin à Grafenberg, la banlieue résidentielle de Düsseldorf.

C'était une bâtisse moderne lourde et carrée dont les fenêtres étroites rappelaient celles d'une prison.

— Drôle d'habitation, pour un homme riche, dit Axel en arrêtant sa Lamborghini devant la façade rectiligne de cette demeure à l'aspect hostile.

Cependant, le parc avec ses pelouses vertes et ses corbeilles fleuries était superbe. Le soleil clignotait à travers le feuillage des grands arbres qui ceinturaient l'allée centrale. Ce décor avait un charme exceptionnel.

La haute porte sombre cloutée de cuivre qui trouait la façade de cette sorte de blockhaus s'ouvrit sur un domestique qui portait une tenue vert bronze galonnée de grenat.

— Si ces messieurs veulent bien me suivre, dit-il avec déférence.

Sur le seuil, il s'inclina pour laisser passer Axel et Mike. Il leur fit traverser un hall désert et les conduisit vers un immense living dont les murs étaient étrangement peints de trois couleurs différentes — gris, jaune et orange.

Tous les meubles étaient en ébène. Ce contraste révélait le goût d'un décorateur d'avant-garde. De multiples plantes exotiques disséminées avec art à travers la pièce prouvaient que Mannfred Braun aimait la nature.

A peine furent-ils entrés, qu'une porte s'ouvrit livrant passage à un petit homme insignifiant et replet, au crâne dégarni et au visage poupin, vêtu d'une singulière tenue composée d'un short écossais, d'une chemise assortie et de hautes chaussettes beiges, un véritable air de vieux boy scout.

Mannfred Braun, visiblement flatté, eut un sourire de bienvenue. Son air franc et affable attirait plutôt la sympathie. La main en avant, il s'écria :

— Herr Elsener, mon ami Max Keyer m'a téléphoné pour

m'annoncer votre visite, je suis heureux de vous recevoir dans mon domaine.

Axel présenta Gannon comme un journaliste qui désirait écrire un article sur la fameuse cave de leur hôte.

Aimant visiblement la publicité Braun s'écria :

— J'adore les États-Unis. C'est un pays de liberté où il fait bon vivre.

Puis, se tournant vers le Français, il ajouta :

— Votre directeur m'a dit que vous étiez un grand connaisseur en vins.

— Mon Dieu j'ai un faible pour certains crus et je sais, je crois, les apprécier.

Braun leva la main et tapota familièrement l'épaule d'Axel :

— Bravo ! Les vins de France sont fameux. Vous avez de merveilleux Bordeaux.

— J'ai un faible pour le Bourgogne.

— A qui le dites-vous ! Vous allez voir dans ma cave des bouteilles inégalables. Du Nuits-Saint-Georges... du Clos Vougeot... du Pommard et surtout des prestigieux Hospices de Beaune.

Puis se tournant vers Gannon, Braun lui demanda :

— Peut-être préférez-vous vos vins de Californie ? Remarquez, je ne les mésestime pas. Mais au lieu de bavarder, suivez-moi dans mon cellier, puis dans ma cave. Au fait, voici des tasses à vins. Avec ces coupes d'argent on goûte beaucoup mieux le nectar d'un cru.

Il avait ouvert la porte d'un meuble d'ébène et en sortait deux taste-vin qu'il tendit à ses visiteurs.

Si Axel n'ignorait pas ces coupelles qui avec leurs parois travaillées permettent d'admirer la couleur d'un vin, Mike, lui, regardait avec étonnement ces tasses. Il les trouvait curieuses ; leur huit cabochons incurvés l'intriguaient. Il en demanda l'explication à Braun.

Tout en bavardant les trois hommes étaient sortis du living, après avoir suivi une galerie qui aboutissait à une sorte de tunnel.

Après avoir emprunté celui-ci, ils débouchèrent sur une salle longue et relativement étroite dont les voûtes de pierre évoquaient un aspect moyenâgeux avec ses fenêtres en ogives.

Mais, sur le seuil, Gannon et Elsener s'immobilisèrent,

stupéfaits devant une cage rectangulaire qui contenait une sorte de petit chat tigré dont les oreilles aiguës et les yeux perçants tenaient à la fois du singe et du renard.

— Quel est cet animal ? demanda Elsener intrigué.

— Un margay. Il vient du Brésil.

— Pauvre petit, il semble triste, dit Axel en approchant sa main des barreaux avec l'évidente intention de le caresser.

Vivement Braun lui saisit le bras.

— Ne tentez pas de le toucher !

— Pourquoi ? Il est méchant ?

— Terriblement. Il serait capable de vous dévorer le doigt. Il déteste spécialement les hommes et s'attaque volontiers à leur virilité.

Gannon s'avança à son tour ; d'une voix mordante il jeta à Braun :

— Pour posséder un tel petit fauve, laissez-moi vous dire que vous devez avoir des goûts assez spéciaux...

Mannfred se mit à rire :

— Mes amis me trouvent effectivement original et cela ne me déplait pas. Mais ne nous attardons pas ici. Voyons plutôt mon cellier.

Il désigna les étagères qui s'alignaient le long des murs et supportaient des milliers de bouteilles. Au-dessus de celles-ci, des panneaux émaillés indiquaient les régions et les crus des vins.

Un caviste portant une haute casquette à visière et le traditionnel tablier noir rangeait des bouteilles dans un des rayons. Il salua les visiteurs. D'un geste sec son patron lui dit :

— Continuez votre travail.

Mannfred Braun se tourna vers l'Américain et le Français et désigna les casiers :

— Voyez, je possède également des vignobles en Alsace. Voici de très bons Riesling de 1978, mais je préfère mon Gewurztraminer Altenberg de 1976. Une année incomparable. Mes bouteilles sont fraîches et le vin a la température voulue. Désirez-vous commencer par goûter un Chambertin ?

— Volontiers, répondit Axel visiblement intéressé tandis que Gannon s'énervait.

Ces préliminaires lui semblaient du temps perdu. Il aurait voulu coincer Braun et lui dire son fait. Comment son ami pouvait-il écouter d'un air détendu les digressions que faisait ce salaud sur les qualités de ses vignobles ?

S'il n'avait pas promis à l'héritier de l'I.E.C. de suivre ses directives avant d'agir, comme il aurait été heureux d'envoyer un direct dans la mâchoire de cet ignoble individu dont la fortune état basée sur le trafic de la drogue et dont la passion pour les bons vins n'était qu'une façade qui masquait ses odieuses activités !

— Wilhem... voulez-vous ouvrir une bouteille 76 ? demanda Braun au caviste qui se précipita avec un tire-bouchon en buis spécialement conçu pour déboucher un grand vin et éviter de communiquer au goulot le contact du métal qui pourrait en dénaturer la saveur.

Avec dextérité, l'homme s'acquitta de cette opération et remplit avec lenteur les taste-vin d'argent.

En connaisseur, Axel fit tourner la coupelle entre ses doigts et regarda attentivement la couleur rubis du célèbre Bourgogne, puis se pencha, le huma pour en respirer le bouquet. Enfin il y trempa les lèvres, fit claquer la langue dans son palais.

— Remarquable ! Absolument remarquable ce Gevray-Chambertin. Cependant, ce n'est pas un 76, mais un 69.

Mannfred Braun poussa un cri :

— C'est vous qui êtes remarquable, Herr Elsener ! car c'est volontairement que j'ai voulu vous tromper. C'est fantastique ! Vous êtes un professionnel !

Avec une fausse modestie, le Français répliqua :

— Mes parents ont une excellente cave et le Bourgogne m'est familier. Nous y possédons aussi quelques ouvrées[1].

L'Allemand éclata de rire :

— Je comprends maintenant pourquoi vous avez voulu connaître ma cave. J'ai devant moi un professionnel. Le mot est impropre, vous êtes le plus averti des dégustateurs.

— Votre jugement me fait plaisir.

Puis se tournant vers Gannon qui masquait mal sa nervosité en frappant le sol du bout de sa chaussure, Braun lui dit :

— Dans l'article que vous allez écrire sur moi, ne manquez pas de mentionner votre ami.

---

1. ancienne mesure agraire évaluée sur l'étendue qu'un homme peut labourer en un jour.

Mais Mike ne l'écoutant pas s'était rapproché de la cage du margay.

— Je parlerai surtout de votre pensionnaire. Savez-vous qu'il m'intrigue ? Ce que vous m'avez dit sur lui est passionnant et inquiétant.

— C'est un animal petit, mais très fort et d'une intelligence supérieure. Cependant mon petit copain est terriblement cruel. Voilà pourquoi je l'aime.

— Il y a sûrement une grande affinité entre vous deux.

Le ton ironique fit sursauter Mannfred.

Durant ce dialogue le caviste avait quitté le cellier tandis que, dressé sur ses pattes-arrière tel un singe, le margay écoutait les paroles de son maître et épiait chacun de ses gestes comme s'il le comprenait parfaitement.

C'est alors que Gannon remarqua la laisse de cuir marron que portait le petit animal et qui était reliée par une chaînette d'acier à un des barreaux de la cage.

Qu'est-ce que cela signifiait puisque la bête était enfermée ?

Mannfred surprit l'expression étonnée de l'Américain et expliqua.

— C'est une mesure de précaution. Lorsque je vais auprès de lui, je préfère qu'il se tienne à distance. Bien que me connaissant, il pousse des cris hostiles.

— Même avec vous, son maître ? demanda Elsener.

— Parfaitement. Je vous ai dit qu'il est dangereux et terriblement cruel. De plus, je suis un homme et il exècre tous les mâles. Il veut les castrer.

— Adorable bestiole, dit Gannon.

En découvrant le mousqueton de la chaîne une pensée venait de jaillir dans l'esprit de Mike. Ne tenait-il pas une merveilleuse vengeance pour faire payer à ce salaud tous les crimes qu'il commettait en opérant le trafic de la drogue ?

D'un air faussement désinvolte, il dit à Braun :

— Je pense que vous exagérez. Vous aimez impressionner vos visiteurs en leur disant que vous entrez dans cette cage.

— Il n'y a que moi qui lui apporte son repas. Tous les jours à midi juste je dépose sa gamelle sur cette planche. Je ne voudrais pas exposer un de mes serviteurs à un tel châtiment.

Il regarda sa montre-bracelet et ajouta :

— J'ai encore dix minutes devant moi, je dois aller serrer

la main de quelques amis qui dégustent mes vins dans ma cave. Voulez-vous m'accompagner ?

Sans doute Axel aurait-il accepté cette offre, mais Mike devança sa réponse.

— Excusez-nous Herr Braun mais mon ami et moi sommes attendus pour déjeuner et si nous prolongeons cette agréable visite nous risquons d'être en retard et de faire attendre nos hôtes.

— Je suis désolé, répondit l'Allemand sans insister pour les retenir.

Visiblement, il était pressé de remplir ses devoirs de maître de maison et de rejoindre ses invités. Il avait très peu de temps devant lui avant d'aller donner à manger à la petite bête féroce.

Impatient, il prit rapidement congé d'Axel et de Mike sans même les reconduire sur le seuil.

Lorsqu'il se retrouva dehors, Elsener dit à l'Américain :

— Qu'est-ce qui t'a pris de lui dire que nous étions invités à déjeuner ? Cette visite me semble parfaitement inutile tu n'as même pas abordé le sujet de la drogue.

— Détrompe-toi. Nous ne sommes pas venus ici pour rien.

Tout en parlant ils avaient gagné le parking pour récupérer la Lamborghini.

Axel s'était installé derrière le volant ; Gannon, assis à sa droite, posa la main sur l'avant-bras de son ami qui allait mettre le moteur en marche :

— Veux-tu attendre !

L'autre le regarda étonné.

— Pourquoi ?

— La montre de ton tableau de bord marque midi moins trois.

— Alors ?

— A midi juste, quand Braun entrera dans la cage tu entendras sans doute un drôle de tintamarre.

Saisi par un pressentiment le Français demanda :

— Qu'as-tu manigancé ?

— Un peu de patience. Tu vas facilement comprendre, répondit Mike d'un ton mystérieux.

L'attente ne fut pas longue.

Des hurlements de douleurs et des appels désespérés, venant du cellier, fracassèrent leurs tympans.

Axel sursauta. En un éclair il avait compris.

— Tu as détaché le margay ?

— Mon plan a réussi. Maintenant nous pouvons partir, ce brave petit animal vient de rendre une justice radicale et expéditive !

CHAPITRE XIV

Le ciel était clair, la température froide et agréable lorsque l'hélicoptère, qu'Axel avait loué à Genève Cointrin, atterrit en face de l'hôtel du Golf.

La neige, légèrement craquante, était d'une qualité exceptionnelle.

Les téléphériques étaient bondés. Malgré l'approche du soleil couchant, de nombreux skieurs se disputaient encore les pistes.

Gannon avait décidé qu'il descendrait à l'hôtel Alpina où, deux ans plus tôt, il avait séjourné avec Meg. Par contre Axel voulait jouir de l'ambiance plus animée de l'Ambassador.

Deux points opposés. Ils se séparèrent, valises à la main décidant de se retrouver, avant l'heure du dîner, au bar du Sporting-Club.

Mike put obtenir une belle chambre au deuxième étage. Mais ce cadre ravivait trop de souvenirs. Il se sentit soudain triste et las.

Récapitulant ses dernières journées, il constata que l'enquête qu'il menait repartait à zéro.

Il n'avait obtenu aucun renseignement qui pouvait réellement le mettre sur une bonne piste, sauf, peut-être, celui du départ du cargo « Essen » pour Miami.

Tous les détails de son dîner avec Gabriella étaient présents à sa mémoire. Il était certain qu'elle connaissait beaucoup de choses, mais qu'elle ne lui dirait rien. Evoquant le baiser qu'il lui avait donné, il regretta son impulsion, car, à présent, s'il se montrait froid et distant, elle ne lui pardonnerait pas. Elle devait le croire à

Düsseldorf, comment allait-elle réagir devant sa fuite ?

Naturellement il invoquerait son métier, mais elle était trop intelligente pour admettre cette raison. En outre, il aurait dû, avant de partir, lui téléphoner. Il avait commis une faute.

Quand il arriva au Sporting-Club, un peu avant dix-neuf heures, deux belles filles, moulées dans d'élégantes tenues de skieuses, étaient assises à la table d'Elsener. Ce dernier expliqua à Gannon :

— Le monde est petit ! Marina et Stephania Cariano sont les filles d'un industriel milanais qui travaille avec l'I.E.C.

Mike se rendit immédiatement compte qu'elles étaient des enfants terriblement gâtées, snobs et stupides. Du reste Alex devait partager son avis, car après avoir commandé des whiskies, il se tourna vers les Italiennes et s'excusa de devoir les quitter rapidement :

— Mon ami et moi sommes invités à dîner.

Ils entrèrent dans un des nombreux petits restaurants du centre de Crans :

— Ouf ! dit Axel. Ces deux perruches étaient tout à fait dénuées d'intérêt. Je préfère les p...

La petite salle était animée par un groupe de jeunes sportifs sympathiques qui mangeaient une fondue. Spontanément ils invitèrent les nouveaux venus à se joindre à eux.

L'ambiance était très agréable. Deux des garçons avaient enlevé les premières places sur une des pistes de compétition. Une grande blonde, d'origine suédoise, s'était classée seconde en slalom.

Un petit vin blanc arrosait ces exploits.

Au contact de cette jeunesse, débordante de vitalité, Mike se sentit soudain plein de dynamisme.

Axel qui s'était déjà procuré tout un équipement de ski, proposa :

— Demain matin à huit heures nous nous retrouverons ici et après un bon petit déjeuner nous prendrons tous le télésiège pour faire la descente de Montana. Si je ne suis pas, comme vous, un champion, je ne me défends pas mal, ajouta-t-il modestement.

Gannon approuva ce programme. Il était soudain heureux de profiter pleinement de la montagne.

Lorsqu'ils quittèrent le restaurant, ils respirèrent avec délices l'air vivifiant de la nuit.

— Au fait, j'ai oublié de te dire que j'ai téléphoné au paternel, pour lui donner mon adresse ici et lui dire que j'étais avec toi, dit Axel avant de quitter son ami.

— Je me demande s'il a été satisfait d'apprendre cette nouvelle ?

— Pas spécialement. Mais il me connait, je suis aussi entêté que lui.

Il se mit à rire avec insouciance.

Pendant deux jours, ils s'adonnèrent au plaisir des descentes, souvent vertigineuses, en compagnie de leurs nouveaux amis qui ne connaissaient que leurs prénoms et ne cherchaient pas à en savoir plus.

« Quel plaisir que cet anonymat » songeait l'Américain qui croyait se retrouver dans quelque contrée lointaine où il n'était qu'un voyageur quelconque.

Mais Gannon ignorait que, depuis la veille, un inconnu s'attachait à ses pas. C'était un homme dans toute la force de l'âge — pas plus de trente-cinq ans — mais avec ses lunettes qui, comme une visière, lui masquaient tout le haut du visage, il n'était pas facilement identifiable au milieu des autres touristes.

L'homme était descendu dans un modeste motel réservé spécialement aux sportifs. Il avait présenté un passeport suisse à la direction et avait été logé dans une chambre donnant sur le Golf de l'Alpina. Son premier soin avait été de retirer de sa valise un fusil démontable avec un objectif d'une remarquable précision.

D'où il se trouvait il voyait parfaitement tous les hivernants entrer dans le palace.

Ce soir-là, l'inconnu guettait le retour de Gannon. Un clair de lune donnait au paysage blanc une beauté ineffable.

Un peu avant minuit, il reconnut la haute stature du journaliste qui pénétrait dans le hall de l'hôtel Alpina. Il connaissait exactement l'emplacement de la chambre de Gannon : la cinquième sur la gauche. Dès que la lampe s'allumerait il pourrait viser sa cible avec précision.

Après avoir pris la clé de sa chambre au bureau du concierge de l'Alpina, Mike ne voulant pas attendre l'ascenseur monta directement au deuxième étage. Il suivit d'un pas allègre la large galerie. Mais en arrivant devant sa porte, il vit avec étonnement que le battant n'était pas fermé.

Ayant soudain un pressentiment, il entra dans la pièce

sans tourner le commutateur. La clarté lunaire pénétrait par la fenêtre. Doucement il avança pour jeter un regard à l'extérieur. Il ouvrit la croisée et se pencha. La rue était tranquille. Une Cadillac était rangée le long du trottoir, plus loin une autre voiture... Rien ne révélait une ombre suspecte.

Gannon ne se doutait pas que derrière lui quelqu'un marchait dans l'obscurité. A son entrée, une silhouette s'était rejetée en arrière et suivait chacun de ses mouvements.

Non, il ne s'en doutait pas et cependant son instinct venait de l'avertir d'un danger. Il se retourna brusquement et ses yeux fouillant l'obscurité, il crut voir dans le clair obscur un fantôme léger et pâle.

Un petit cri étouffé, répondit à son volte face. Il bondit ; au même moment le sifflement d'une balle passa au-dessus de sa tête et se figea dans le mur.

— Nicole !

Il venait de la reconnaître à la lumière indécise d'un rayon de lune qui tombait en biais sur son visage livide.

— Mike ! pardon, je n'aurais pas dû.

Elle s'abattit en sanglotant sur sa poitrine. Comment était-elle là ? Quelle folie l'avait poussée à s'introduire dans sa chambre ? Mais cette folie venait de lui sauver la vie !

Soudain, avec douceur, il se détacha d'elle.

— Il faut éviter que ce fou meurtrier ne renouvelle son geste !

Tout en parlant il alla tirer les rideaux devant la fenêtre. Ainsi, il ne pourrait plus servir de cible à celui qui était peut-être toujours à l'affût sous les arbres ou dans le petit motel d'en face.

Il revint au milieu de la pièce et alluma le lampadaire. La clarté de la lampe tomba sur Nicole. Comme elle était jolie dans cette petite robe de laine blanche qui moulait son corps jeune et svelte !

Mais il remarqua la pâleur de son visage qui conservait une expression d'effroi. Ses mains tremblaient.

Alors il vint vers elle et l'étreignit :

— Ma petite chérie, ma dette envers vous est sans prix. Mais expliquez-moi comment vous vous êtes trouvée ici et dans ma chambre ?

Pourquoi lui posait-il cette question ? Tant d'explications et de réponses n'étaient-elles pas devenues inutiles ?

Elle était là. Seule cette réalité comptait.

Cependant elle lui dit que, deux jours plus tôt, alors qu'elle se trouvait chez son oncle, Axel avait téléphoné à son père pour lui apprendre qu'il était avec Mike à Crans-sur-Sierre.

— Pourquoi êtes-vous venue ?

— Je m'étais tellement mal conduite dans ce Club en me bagarrant avec votre compatriote et vous m'aviez jugée si sévèrement que je voulais me faire pardonner.

— Nicole ! Est-ce possible, faire ce voyage pour une telle raison ?

Elle sursauta :

— Comment pour une telle raison ! Mais pour moi c'était essentiel, Mike. Je vous aime.

Elle s'arrêta, le regarda : ses traits étaient de pierre. Elle reprit d'une voix vibrante :

— Oui, je vous aime à en mourir. Je sais que je ne compte pas pour vous.

Il réagit :

— C'est faux, Nicole !

— Mike, vous êtes le seul homme qui fait battre mon cœur, le seul que je désire.

Elle se lova plus étroitement contre lui et suppliante ajouta :

— Je veux vous appartenir ! Prenez-moi.

Il la sentait palpitante contre lui. Elle s'offrait à la fois avec impudeur et naïveté. Il voyait sa gorge pleine qui pointait provoquante sous l'étoffe de son corsage. Suppliante, elle balbutia :

— Mike, aime-moi ! Je te désire tant.

Lui aussi, en cette minute la désirait follement mais avec une sorte de rage, car il lui en voulait d'éveiller en lui tant de concupiscence.

Le corps de Nicole était si étroitement serré contre le sien, qu'il percevait le rythme accéléré des battements de son cœur.

— Mike, il y a si longtemps que j'attends cet instant. Ne me repousse pas.

Sa respiration était rapide. Elle baissa un bras, le décolleté de sa robe glissa, dévoilant son épaule. Sa peau était dorée, douce et lisse. Alors il insinua sa main dans l'ouverture tentatrice et d'un geste brusque il la dénuda, tandis que ses lèvres se posaient fougueusement sur celles de Nicole. Elle reçut ce baiser, si longtemps attendu, comme une offrande qui lui arracha un gémissement de bonheur.

Alors, pour elle, tout ce qui se passa après, se déroula comme l'aboutissement d'un songe merveilleux.

Ils se retrouvèrent enlacés dans le grand lit. La tête renversée sur l'oreiller, elle frémissait sous les caresses subtiles de Mike qui jouait sur son corps toute la rhapsodie des plaisirs défendus.

Comme elle était belle dans le bouleversement qui s'était emparé d'elle !

— Chère petite Nicole. Tu es un démon, mais je suis encore plus fou.

Il aurait voulu la rejeter, mais il n'en avait pas la force. Ivre de volupté il la prit sauvagement pour apaiser le feu qui le dévorait.

Egarée par la passion, perdant la notion de tout ce qui l'entourait, Nicole se donna à lui d'une façon entière, totale. Ils s'aimèrent toute la nuit avec une frénésie qui confinait au délire.

Ce soir-là, en regagnant l'Ambassador, Axel qui venait de quitter ses jeunes amis, alla boire un whisky au bar. Il s'était installé sur un haut tabouret. Il n'y avait que trois clients à cette heure tardive. Tout à coup une voix retentit derrière lui :

— Axel...

Il se retourna ; c'était une des filles qui, l'après-midi, avait skié avec eux. Elle s'appelait Clara et était fort jolie. Elle était assise à une table isolée ; il ne l'avait pas vue en pénétrant dans le bar.

Il prit son verre et alla s'asseoir dans le fauteuil en face du sien.

Etudiante à Bonn, elle passait ses vacances scolaires à la montagne. Il croyait qu'elle habitait dans le petit chalet loué par le groupe des jeunes sportifs ; c'était en outre une excellente skieuse et une fille bien élevée :

Etonné, il lui dit :

— Je ne savais pas que vous étiez descendue ici ?

— Je n'y loge pas. J'ai appris que vous habitez l'Ambassador alors je suis venue dans le bar pour vous guetter. Je pense que vous n'êtes pas gêné sur le plan financier...

Elle s'arrêta, releva d'une main une mèche de cheveux qui tombait sur son visage. Axel fut saisi de voir comme ses traits étaient tirés. Elle parut hésiter et lança :

— Axel pourriez-vous me prêter un peu de fric ?

— Qu'appelez-vous un peu de fric ?

Elle reposa son verre vide, ne répondit pas directement à sa question, mais poursuivit :

— Certes mes parents m'ont offert tout le séjour à Crans et même de l'argent de poche pour mes dépenses quotidiennes, mais ce n'est pas assez.

Elle fixa Axel, esquissa un petit sourire confus :

— ... Pourquoi ne pas vous l'avouer ? je suis en « manque ».

Il comprit aussitôt, baissant la voix il demanda :

— Quelle drogue ?

— Cocaïne... de la dure... peu à peu j'y suis arrivée. Il y a ici un type qui ravitaille certains de mes copains, mais sachant sans doute que mon père est un homme assez riche — il est avocat — cet individu me demande mille francs suisses pour un petit sachet et encore je soupçonne qu'il est trafiqué. Je ne vais pas tenir le coup si je n'ai pas une piqûre avant vingt-quatre heures. C'est urgent...

Axel remarqua qu'en allumant sa cigarette, la main de Clara tremblait anormalement. Qui aurait pu croire que cette belle fille sportive qui semblait si saine était l'esclave d'une telle passion ?

D'une voix anxieuse elle reprit plus bas :

— Axel, si vous pouviez me prêter cette somme, vous me sauveriez la vie. Autrement je vais être obligée de prendre le premier avion pour retourner en Allemagne. A Bonn, je connais un type qui me ravitaille régulièrement. Il va tous les quinze jours chercher sa provision à Bremerhaven. La drogue vient directement d'Amérique du Sud à bord d'un cargo. Il m'a expliqué que c'est un filon très sûr car la Compagnie maritime est très puissante et au-dessus de tout soupçon. La coco est de première qualité.

Ainsi, par un hasard extraordinaire, Elsener venait d'avoir

la confirmation que le fameux réseau devait être celui que Mike et lui soupçonnaient.

Quelle incroyable découverte ! Gannon allait enfin toucher au but.

Comme il demeurait silencieux, Clara reprit craintivement :

— Vous avez peut-être peur que je ne vous rembourse pas ? Je vous signerai un papier. Ou vous désirez que... Je n'ai personne en ce moment et quand je suis seule le manque devient intolérable.

Il était visible qu'elle s'offrait. Elle était prête à tout. Elle lui inspira une profonde pitié. Il lui saisit le poignet :

— Ne poursuivons pas cette conversation ici. Venez chez moi.

Elle suivit Axel dans l'ascenseur et entra avec lui dans sa chambre.

Sans doute persuadée qu'il voulait être payé comptant, elle ôta son anorak et fit le geste de se débarrasser de son pull, mais Elsener l'arrêta d'un geste et lui dit sèchement :

— Qu'est-ce que vous vous imaginez ? Que je veux lâchement profiter de la situation ?

Elle prit un air paniqué :

— Mais...

— Vous me jugez bien mal, Clara.

Il ajouta après une courte pause :

— Ne croyez pas que je suis un homme anormal qui n'aime pas les femmes. Vous êtes très séduisante et dans une autre circonstance, j'aurais été heureux de m'embarquer avec vous pour Cythère. Mais votre problème me touche et plus directement encore mon ami américain que vous connaissez.

Alors il lui raconta comment, après avoir perdu sa fille à la suite d'une overdose, Mike s'était juré de la venger en recherchant les odieux trafiquants qui sont de véritables assassins. Tandis qu'il parlait, Axel voyait le visage attentif de la jeune étudiante qui l'écoutait religieusement. Il lui demanda :

— Clara... Voulez-vous vous évader de ce cercle infernal ?

Elle joignit les mains ; des larmes coulaient sur ses joues.

— Je suis prête à tout tenter pour me guérir.

— Dans ce cas, vous allez me donner le nom et l'adresse de votre fournisseur de drogue à Bonn et celui d'ici...

Son regard eut une expression d'affolement :

— Mais si je n'ai pas ma piqûre avant quelques heures, je ne pourrai pas tenir.

— Votre piqûre, vous l'aurez.

— Comment cela ?

Je connais ici un médecin suisse qui a soigné ma famille ; demain matin je vais lui expliquer votre cas. Il ne refusera certainement pas de vous faire cette piqûre. Seulement, après il vous mettra en rapport avec un de ses confrères de Bonn et il faudra promettre de vous laisser soigner.

Elle aprouva d'un signe de tête, reprit son anorak ; mais comme elle tremblait de la tête aux pieds, Axel lui dit :

— Vous ne pouvez pas repartir ainsi. Restez.

De la main il lui désigna les lits jumeaux.

— Je vous offre l'un d'eux. Ne craignez rien, je ne ronfle pas. Vous dormirez comme une petite fille sage. Je vais vous donner un pyjama.

Il ouvrit le tiroir de la commode et lui remit un pyjama.

— Allez dans la salle de bains faire votre toilette, je vais chercher des journaux dans le salon de lecture.

Quand il remonta vingt minutes plus tard, Clara qui était étendue sur une des couches dormait du sommeil du juste.

Ce matin-là un soleil éblouissant s'était levé sur les Alpes. Dans Crans, les rues s'animaient. Des skieurs prenaient déjà d'assaut les téléphériques et les télécabines.

En ouvrant les yeux, Axel constata que le lit, voisin du sien, était vide. Par discrétion Clara avait déjà quitté la chambre.

Une feuille de bloc-notes était placée en évidence sur la table, il lut :

« *Ne croyez pas que je me suis enfuie... Je descends à la salle à manger prendre un petit déjeuner. Je vous attendrai dans le hall. Merci encore. CLARA* »

Aussitôt Axel téléphona à la clinique du docteur Walter. Il eut directement le praticien. A mots couverts il lui expliqua la situation de la jeune droguée.

— Venez le plus vite possible avec cette malheureuse.

Quand Elsener rejoignit Clara qui feuilletait des revues dans le salon de lecture, il lui fit part de sa conversation avec le médecin.

Elle le remercia, mais ajouta d'un air apeuré :

— Si je vous indique le type qui, ici, a voulu me vendre de la drogue et que vous le dénonciez, il est capable de se venger. J'ai été tellement obsédée par cette idée que j'ai rêvé qu'il voulait me précipiter dans le vide alors que j'étais avec lui dans un télésiège. Vous tentiez vainement de me sauver, j'étais accrochée à un des montants de fer, lorsque brusquement j'ai lâché prise. C'est sur cette atroce vision que je me suis réveillée en sursaut.

Il la rassura :

— Clara le type d'ici n'est pas le plus intéressant. C'est sans doute un minable petit revendeur ! Tranquillisez-vous, cet individu ne m'intéresse pas. Je désire seulement avoir le nom et l'adresse de votre fournisseur de Bonn. C'est par lui que je remonterai la filière. Etant encore à Crans pour une semaine, vous n'avez rien à craindre.

Sur cette assurance elle retrouva son calme.

Le docteur Walter qui connaissait tous les problèmes de ce fléau, réconforta Clara. La jeune fille lui promit de consulter un des confrères qu'il allait avertir, dès qu'elle serait de retour à Bonn.

— Si vous avez de la volonté, dans six mois, vous serez une autre personne, lui dit-il en la quittant.

Avant de rejoindre le groupe de ses amis qui l'attendaient non loin de l'hôtel Rhodania, Clara remercia chaleureusement Axel.

Dès qu'il fut seul, Elsener téléphona à l'Alpina. Il avait hâte d'apprendre à Gannon sa rencontre avec la jeune Allemande et cette incroyable coïncidence qui confirmait leurs soupçons : La drogue était débarquée à Bremerhaven et sans doute était-elle transportée à bord du cargo *Essen*.

Malheureusement au standard de l'Alpina on lui répondit que Gannon venait de sortir.

Axel se rendit au Sporting Club pour attendre l'heure du déjeuner, persuadé qu'il retrouverait Mike à midi dans le petit restaurant qu'ils avaient adopté au centre de la ville.

Le jour pâlissait lorsque Nicole ouvrit les yeux.

La chambre était plongée dans une pénombre incertaine. Quelle heure pouvait-il être ? Quatre heures ? Cinq heures du matin ? Elle n'aurait su le dire. Les souvenirs de la nuit s'inscrivaient en flashes comme des images irréelles.

En tournant la tête, elle aperçut le profil de Mike qui se détachait sur l'oreiller comme l'effigie d'une médaille antique.

Il dormait. Un souffle régulier soulevait sa poitrine. Sa main gauche, dans le geste de la possession, emprisonnait la hanche de Nicole. Le lit conservait les stigmates de la tempête qui avait balayé les draps et les couvertures. « Un vrai champ de bataille » se dit-elle en évoquant les instants délirants, allant jusqu'à la frénésie qui les avaient rivés l'un à l'autre.

La fièvre qui l'avait soulevée la laissait pleine d'exaltation et de passion dévorante.

« Jamais je ne pourrai me passer de ses caresses. Comment pourrai-je désormais vivre sans lui ? »

M'aime-t-il vraiment ? Lui avait-elle donné ce bonheur que tout homme recherche dans la volupté ? Il avait connu tant de femmes avant elle, des femmes expérimentées, tandis qu'elle ignorait ces audaces stupéfiantes qui attachent un amoureux. Au fond, elle n'était qu'une petite fille terriblement naïve. De quoi demain serait-il fait pour elle ?

Elle avait toujours rêvé de pouvoir partager son existence. Mais n'était-ce pas une folle ambition ? Pourtant au paroxysme de leur transport, lorsque l'exaltation avait marqué son visage, Mike s'était écrié :

— Sale petite garce ! Tu as fait un beau travail, je ne vais plus pouvoir me passer de toi !

Il avait prononcé cette phrase d'une voix rauque.

Une voix inhabituelle... Une voix jamais entendue... Une voix qui l'avait étrangement bouleversée...

Trop émue pour lui répondre, elle avait passé ses deux bras autour de son cou. Alors il avait souri. Puis avec une infinie tendresse, il l'avait à nouveau étreinte, comme s'il voulait percevoir chaque battement de son cœur.

Doucement il lui avait demandé :

— Darling, est-ce que j'ai réussi à te rendre heureuse ?

— Quelle question !

Il avait insisté :

— Est-ce bien sûr ?

— Mike, suis-je capable de mentir en cet instant où je t'appartiens toute entière ?

Nicole ferma les yeux pour mieux recueillir, derrière ses paupières closes, les visions fragmentaires de cette nuit merveilleuse et insolite, de cette nuit qui resterait pour toujours inscrite au fond de sa mémoire. Cette nuit ne s'estomperait jamais. Elle demeurerait une brûlante réalité qui n'avait rien d'une imagination vaine ou de phantasmes délirants.

Pourrait-elle oublier le regard sombre de Mike quand ses lèvres fixées sur les siennes lui avaient insufflé cette inexprimable source de vie ? car c'était lui qui l'avait fait naître à son véritable destin de femme.

Peu à peu les striures du jour s'insinuaient en transparence derrière les rideaux. Les meubles de la chambre émergeaient des ténèbres. La glace de la coiffeuse brilla comme une plaque de métal.

Mike dormait toujours ; cependant dans son sommeil, peut-être hanté de rêves, il poussa un soupir, serra davantage entre ses doigts la taille de Nicole et enfin ouvrit les yeux.

— Ma chérie ! ma petite chérie ! Est-ce possible ? Il la regardait semblant douter de cette réalité.

— Vas-tu me pardonner ?

Elle lui posa un doigt sur la bouche.

— Mike ! Je suis heureuse, si heureuse...

Elle se blottit contre lui. Il l'étreignit avec force.

— J'ai été fou, mon amour. Ce que j'ai fait est de la folie. Je devrais me détester de t'avoir prise ainsi.

— Pourquoi ? Mon Dieu pourquoi ?

— Tu es si jeune, ma chérie. Pour moi tu es encore une enfant. J'aurais dû avoir le courage de réprimer le désir fou qui me labourait les reins. Mais maintenant, c'est trop tard. Oui, c'est trop tard. Dis que tu es à moi, rien qu'à moi !

Il la renversa sur le dos tandis que sa bouche glissait tout le long de sa gorge palpitante. Elle poussa un long gémissement :

— Mike... Mike...

Une fois de plus ils s'aimèrent avec un embrasement encore jamais atteint.

Il était presque midi lorsque Mike et Nicole quittèrent l'hôtel.

Redoutant d'être dérangé par un coup de fil inopportun, Gannon avait donné des ordres au standard de l'Alpina pour dire qu'il était sorti, si on lui téléphonait. Voilà pourquoi Axel n'avait pu le joindre.

Se donnant le bras, ils foulaient allègrement la neige crissante pour gagner l'auberge suisse où vraisemblablement ils allaient retrouver le dauphin de l'I.E.C. Ils respiraient avidement l'air froid qui leur procurait une griserie intérieure, comme une sorte d'extase mystique. Ils éprouvaient tous les délices de l'amour comblé. Nicole avait la certitude d'avoir atteint le sommet psychique de son existence.

— Mike... je suis heureuse... si tu savais comme je suis heureuse !

Il se mit à rire :

— Petite fille romanesque !

Ils avaient décidé de dire toute la vérité à Axel qui serait stupéfait de découvrir sa cousine à Crans.

De fait, lorsqu'ils poussèrent la porte du restaurant, une exclamation s'éléva près d'eux.

— Nicole...

Axel qui était déjà installé à une des tables, s'était levé visiblement abasourdi. Il poursuivit :

— Toi ici ! Ça alors ! Est-ce le paternel qui t'envoie en garde-chiourme pour que je regagne le bercail ?

— Rassure-toi. Je suis venue de mon propre chef.

Gannon intervint :

— Cela va te sembler extravagant, mais en ce moment, j'ai vingt ans ! juste son âge, ajouta-t-il en passant son bras autour de la taille de sa compagne.

De fait, comme par magie, il semblait brusquement avoir dix ans de moins.

Nicole ôta sa chapska de renard, ses cheveux dorés tombèrent en cascade autour de son visage, accentuant encore sa jeunesse.

D'une voix vibrante elle jeta :

— J'adore ce pays ! Tout ici est merveilleux.

C'était un aveu à peine voilé. Axel sourit.

— Je n'en doute pas en te regardant.

Gannon ajouta :

— Nicole, m'a sauvé la vie.

Alors il raconta à son ami la miraculeuse intervention de sa cousine ; puis fixant celle-ci conclut :

— Je pense que notre destin s'est inscrit cette nuit.

Par une sorte de pudeur il n'en dit pas plus. Mais n'était-ce pas un aveu ? Nicole eut un éblouissement. Incapable de dire un mot car les syllabes étaient bloquées au fond de sa gorge, elle ferma les yeux pour retenir en elle le bonheur immense qui la submergeait...

« Je pense que notre destin s'est inscrit cette nuit ! »

Mike venait de prononcer la phrase magique qu'elle n'osait espérer.

Au même instant, il y eut dans la salle un remous. On se pressait devant l'écran de télévision. C'était l'heure des nouvelles. Près d'eux, une jeune femme s'exclama :

— J'ai skié hier avec lui.

Axel, intrigué, s'était rapproché du téléviseur et vit le speaker poursuivant les informations :

« *La police enquête sur les circonstances de cet incompréhensible accident qui s'est produit à neuf heures ce matin à Crans sur la grande piste de slalom. Les témoins qui, de loin, ont assisté au saut vertigineux de la victime assurent avoir vu des éclairs, tels des charges de dynamite, s'échapper des deux bâtons du skieur qui, à ce moment-là, amorçait un virage. Donc, l'hypothèse d'un attentat n'est pas à écarter, car nous devons rappeler que Carlo Orsini était un candidat sérieux à la présidence du Marché commun. Les deux jambes brisées, il ne sera plus qu'un homme amoindri qui ne pourra plus avoir aucune ambition politique.* »

En écoutant cette information, Elsener se tourna vers Gannon qui venait de le rejoindre. Comme ils se trouvaient tous deux à l'écart des autres auditeurs, tout bas il lui dit :

— C'est toi !

L'autre ne répondit pas, mais son silence était éloquent. Axel insista :

— Réponds moi.

Sur le même ton à peine audible, l'Américain murmura :

— Ne sommes-nous pas ici pour ça ?

— Où l'as-tu retrouvé ?

— Il est descendu comme moi à l'Alpina.

— C'est pour cette raison que tu n'es pas venu avec moi à l'Ambassador ?

— Evidemment...

— Pourquoi ne m'avoir rien dit ?

— Pour ne pas te compliquer la vie. Ce fut très facile...

Nicole qui, indifférente aux informations, était restée assise à sa table pour déguster son verre, vint rejoindre ses compagnons.

— Qu'est-ce que vous complotez tous les deux ?

Gannon poussa un soupir :

— Nous avons assez de la neige.

Axel ajouta :

— Aussi, nous songeons à quitter Crans dès ce soir si possible.

Nicole sursauta et regarda Mike d'un air incrédule.

— Je viens à peine d'arriver.

Il lui prit la main :

— Hélas, darling, les impératifs d'un journaliste commandent souvent des déplacements imprévus.

— Où allez-vous ?

— En Rhénanie.

— Alors je vais rester seule ici ?

Ses yeux s'étaient embués de larmes. Trop vite, elle avait cru à un bonheur durable.

— Ma petite Nicole, je serais heureux si vous veniez avec moi.

Son regard s'éclaira, tandis que son cousin reprenait :

— Je vais de mon côté faire un saut à Paris. A moins que j'aille directement à Bremerhaven. Je n'ai pas encore fixé mon itinéraire. En attendant, allons déjeuner !

Durant le repas ils parlèrent de leur prochain départ, aussi Nicole voulut immédiatement aller préparer ses bagages.

Lorsque les deux hommes se retrouvèrent seuls, Axel retraça sa rencontre providentielle avec Clara, puis, sortant de son portefeuille la carte sur laquelle elle avait inscrit le nom d'Otto Ward, il expliqua :

— Il parait qu'il se rend deux fois par mois à Bremerhaven. Il descend chez son frère Herber qui est maître pêcheur et habite près de Fischeriehafen. Je crois que nous tenons une piste sérieuse.

— Peut-être celle du troisième homme ? car j'ai l'impression que cet Ayatollah Dibah cache une autre identité.

— Pour moi je pense que ce sera sur l'*Essen* que nous découvrirons ce sinistre individu.

CHAPITRE XV

Deux jours plus tard dans l'hôtel particulier des Elsener, le grand patron et son épouse se trouvaient dans le fumoir où, après le déjeuner, Adrien venait de servir le café.

Lorsque le serviteur se fut éloigné, le P.D.G. laissa éclater sa mauvaise humeur :

— Toujours pas de nouvelles d'Axel ! Partir sans nous avertir pour escorter Gannon, c'est un peu violent !

— Il a téléphoné de Crans...

— Depuis, le silence ! Je pensais qu'il allait rentrer immédiatement. Comme si Gannon avait besoin de lui quand il fait le tour du monde !

Timidement Clarisse rétorqua :

— Il a profité de cette circonstance. Voilà plus de deux ans qu'il n'a pas pris de vacances.

— Admettons. En tout cas il aurait pu m'en parler.

— Tu aurais refusé.

— C'est exact. En ce moment il devrait être en Argentine ! Veux-tu que je te dise, Clarisse, si Axel est intelligent, et a fait de brillantes études c'est parce que ces compétitions l'amusaient. Mais, au fond, ce n'est pas un travailleur. C'est un garçon qui aime s'amuser.

Elle reposa brutalement sa tasse sur le plateau ; visiblement elle était indignée.

— Si c'est par jeu qu'il est sorti major de Polytechnique, je l'admire encore plus ! Cela prouve qu'il a des facilités peu ordinaires. Tu as toujours été très dur avec lui et souvent injuste. Pendant un mois il est resté jusqu'à minuit au bureau et même Gillard a remarqué son assiduité. Est-ce qu'un de tes employés accepterait de faire de telles heures supplémentaires ?

— Est-ce que moi, je ne travaille pas souvent tard dans la nuit ? Clarisse, nous sommes des chefs d'industrie et nous avons des responsabilités écrasantes. Des milliers d'hommes vivent grâce à nous. Nous n'avons pas le droit de compter nos peines.

— Il t'a téléphoné pour dire que dans trois jours il serait ici et reprendrait le collier. De quoi te plains-tu ?

Le P.D.G. poussa un soupir :

— Je ne veux pas discuter plus longtemps, car, vois-tu Clarisse, lorsqu'on parle de ton fils, tu lui donnes toujours raison.

Dans son bureau Gillard venait de reposer nerveusement le récepteur de son appareil téléphonique. Un pli de contrariété barrait son front. Brusquement il quitta son fauteuil, rectifia machinalement le nœud de sa cravate, saisit un épais dossier qui se trouvait sur sa table, sortit de la pièce et se dirigea directement vers le cabinet de travail du P.D.G. qui occupait toute l'aile droite du building.

Faisant signe à la secrétaire qui s'était levée à son approche de ne pas se déranger, il frappa pour la forme contre la haute porte de chêne.

Sans attendre la réponse, il entra. Le grand patron leva la tête à son approche :

— Alors qu'est-ce qui se passe Gillard ?

Avant de répondre, l'autre foula le grand tapis chinois qui le séparait du bureau du magnat de l'industrie et posa devant lui le dossier qu'il tenait :

— Monsieur le Directeur vous trouverez ici les figures que vous m'avez demandées concernant nos opérations au Canada. Elles sont tout à fait inacceptables. Je pense que vous devriez considérer le remplacement de notre directeur à Toronto.

— Je vous remercie, dit sèchement le P.D.G.. J'ai l'impression cependant que je ne suis pas de votre avis au sujet de Morton.

— C'est évidemment une affaire d'opinion, répliqua Gillard, qui, sans un mot de plus, quitta la pièce.

Lorsqu'il se retrouva sans son bureau, il dit à sa secrétaire :

— Madame Clément, je vous donne campo. Je dois d'ailleurs rentrer chez moi assez tôt.

Thérèse eut un large sourire. C'était une petite personne d'environ quarante ans qui avait de multiples problèmes dans son ménage et qui, de plus, habitait la banlieue. Cette solution l'arrangeait tout à fait.

Elle décocha un sourire à son patron.

— Merci beaucoup, Monsieur.

Elle se rendit immédiatement dans le vestiaire. Quand il entendit la porte claquer derrière elle et qu'il fut sûr d'être seul, Gillard saisit nerveusement le récepteur de son téléphone privé qui ne passait pas par le standard. Hâtivement il composa un numéro.

Il n'attendit pas longtemps. Bientôt, là-bas on décrocha. Baissant le timbre de sa voix, il dit :

— Gaby... C'est toi ? Je te rappelle car tout à l'heure il m'était impossible de te parler librement. Alors tu dis qu'ils seraient tous les deux là-bas ? C'est incroyable ! (Il avala sa salive avec difficulté). Effectivement il n'y a pas de temps à perdre, il faut agir au plus vite. Oui ma chérie, j'arrive... Je file à l'aéroport et je vais prendre le premier avion disponible.

Il reposa rapidement le combiné et se passa la main sur le front. Des gouttes de sueur perlaient à ses tempes. Une sorte d'épouvante venait de le saisir.

Si son bureau était une pièce à l'ameublement conventionnel, Gillard avait orné les murs de plusieurs peintures qui représentaient des paysages. Il s'approcha du tableau qui se trouvait entre les deux fenêtres et qui représentait une vue maritime. Il le décrocha. Derrière la toile un petit coffre-fort était scellé dans le mur. Il l'ouvrit et sortit plusieurs chemises et documents, ainsi qu'un pistolet dont il vérifia soigneusement le barillet.

Il prit son porte-documents de cuir noir et plaça tout ce qui se trouvait dans la cavité, puis remit tout en place.

Il paraissait épuisé par cet effort. L'angoisse avait subitement creusé deux sillons de chaque côté de son visage. Il ouvrit sa penderie, saisit l'imperméable inutile, qui y était pendu depuis plusieurs semaines, et l'enfila. Puis il tâta la poche intérieure, et fut heureux de trouver ses lunettes de soleil ; il les prit et se coiffa du feutre noir qu'il ne mettait jamais...

Tous les employés de la firme ne le voyaient qu'avec son éternel complet gris. Il se regarda dans la glace ovale et fut satisfait de constater que sa silhouette était totalement modifiée.

Il pourrait se glisser facilement dans l'ascenseur qui le déposerait directement au deuxième sous-sol du parking où il rangeait sa Citroën.

L'œil aux aguets, derrière sa porte entre-baillée, il attendit que la galerie fut vide pour bondir dans la cabine d'acier, son porte-documents à la main.

Il arriva au parking et dix minutes plus tard il quittait sans encombre le building de l'I.E.C.

Quand il fut sur l'autoroute en direction de l'aéroport Charles de Gaulle, son angoisse s'était presque totalement estompée. Néanmois, lorsqu'il eut rangé sa voiture et fut sorti du véhicule, ses jambes étaient lourdes et son cœur battait la chamade.

Il se rendit directement au bureau de la Luftansa. Par chance il put obtenir une place à bord du vol 135 qui décollait à 19 heures 05. Il regarda sa montre. Il avait juste quarante minutes devant lui. C'était vraiment une chance.

Ce soir là, assis dans de confortables fauteuils de cuir, Mike et Nicole buvaient tout en regardant les flammes qui, devant eux, dansaient joyeusement dans la haute cheminée du bar où ils avaient trouvé refuge en cette fin de journée froide et ventée.

Arrivé dans un avion loué par Axel, ils se trouvaient depuis quarante-huit heures à Bermerhaven. En débarquant Nicole avait frissonné malgré son manteau de fourrure. Un ciel terne, aussi gris que la mer, les avait accueillis.

Heureusement ils avaient trouvé des chambres confortables au Nordsee Hôtel qui a l'avantage d'être sur la place du Théâtre, donc au centre de la ville.

Gannon qui venait de terminer son troisième verre de whisky semblait inquiet :

— Je suis tout de même surpris que depuis hier Axel ne nous ait pas donné signe de vie.

— En nous quittant il nous a dit qu'il serait sans doute absent longtemps. Il devait non seulement se renseigner au port de pêche sur cet Herber Ward, mais il voulait aussi prendre contact avec le directeur de la compagnie maritime afin que la police inspecte minutieusement l'*Essen* dès son arrivée.

— Tout de même il aurait dû passer un coup de téléphone !

— Il n'a sans doute pas pu, répondit Nicole qui, connaissant son cousin, comprenait mal l'anxiété de Gannon.

— J'aurais dû l'accompagner...

— Et c'est pour ne pas me laisser seule que tu es resté. Mike, je suis sûre que tu vas me détester !

Il lui coupa la parole.

— Darling, ne dis pas une chose semblable.

Il se pencha et effleura ses lèvres d'un baiser léger, en ajoutant :

— Chaque jour, je t'aime un peu plus.

— Et moi, Mike, dit-elle en lui serrant la main tandis que ses yeux fixaient ceux de Gannon...

Il put y lire toute la passion qu'elle ressentait. A chaque instant un désir éperdu lui oppressait la poitrine et la tenait haletante.

Brutalement, derrière eux, la porte s'ouvrit avec violence. Les quelques clients qui se trouvaient dans le bar sursautèrent, saisis par le froid qui s'engouffrait dans la salle. Un individu, entre deux âges, à la face rouge et barrée par une grosse moustache poivre et sel, qui portait un anorak écarlate, une chapska de loutre et qui semblait passablement émêché entra en titubant et se dirigea vers la cheminée. Il s'accrocha au fauteuil de Gannon en passant à sa hauteur.

— Pardonnez-moi, mais je crois que j'ai un coup dans l'aile, dit-il avec un gros rire. Vous permettez ? ajouta-t-il en se laissant tomber dans le fauteuil voisin de celui de l'Américain.

— Il fait si froid que je vais aussi prendre un drink, dit-il au barman qui s'avançait. Et donnez à ce monsieur et à cette dame, la même chose. C'est ma tournée. J'ai gagné à la loterie.

Le serveur semblait indécis, mais comme l'homme lui glissait un billet dans la main, il s'exécuta. Tandis que

Gannon protestait, le nouveau venu avala le contenu de son verre d'un seul trait, puis se leva posant une poignée de marks froissés sur la table.

— Excusez-moi encore, fit-il en s'éloignant.

La porte se referma sur sa massive stature. Que signifiait une telle attitude ? Le comportement de cet étrange individu était pour le moins anormal.

Cependant, Gannon sursauta. Parmi les billets de banque il y avait un feuillet blanc plié en quatre. Il l'ouvrit. Cinq chiffres étaient inscrits.

Aucun doute ceux-ci avaient une signification. Nicole qui s'était penchée sur la feuille de papier s'écria :

— Ne serait-ce pas un appel d'Axel ?

Gannon qui venait d'avoir la même pensée se sentit tout à coup oppressé.

— Attends moi. Je vais voir. Il y a ici une cabine téléphonique.

Pour tromper son angoisse, car Nicole tremblait pour son cousin, elle prit une cigarette, tandis que Mike s'éloignait vers le fond de la salle. Par deux fois, sa main mal assurée tenta d'allumer son briquet. Une peur insidieuse s'infiltrait en elle. Enfin elle parvint à rejeter un nuage de fumée ; ses yeux fixaient la porte qui s'était refermée sur Mike. Ne lui avait-on pas tendu un piège ? Lui aussi allait être en danger. S'il l'était, sans aucun doute il agirait !

Étreint par une indicible angoisse. Gannon avait composé sur le cadran les cinq chiffres indiqués. Il perçut une sonnerie, et un ronflement indiquant que le circuit était mauvais. Pourtant on décrocha.

— Allo... C'est toi Mike ? Il venait de reconnaître la voix d'Axel. Une voix basse, dénaturée :

— Où es-tu ?

— Au sud de la ville dans le quartier du port des pêcheurs, non loin de l'institut für Meeresforschung. Tu sais l'institut des Recherches...

— Que fais-tu là-bas ?

— J'étais allé voir ce Ward. On m'a enfermé dans une vieille maison. J'ai pu aller jusqu'au téléphone de la boulangerie, car je suis dans une boulangerie...

— Donne-moi l'adresse exacte...

— Je ne sais pas. C'est impossible. Les voilà. Surtout ne préviens pas la police ajouta-t-il dans un souffle. Il y eut un bruit lointain qui couvrit la voix d'Axel, puis le circuit fut coupé.

Gannon aurait voulu lui poser d'autres questions. Quel était l'homme qui lui avait donné le numéro de téléphone ? Il devait savoir... Mais où le rejoindre ?

Lorsqu'il regagna le bar, il n'eut pas besoin de parler. En voyant l'expression de son visage, Nicole avait compris.

— Tu as pu lui téléphoner ?

Pour toute réponse, il inclina la tête.

— Il est en danger... n'est-ce pas ?

— Je vais le libérer. Ils l'ont enfermé au-dessus d'une boulangerie.

— Il faut prévenir la police.

— Je m'en garderai bien!

C'était la veille qu'Axel avait déclaré à Gannon que, connaissant Bremarhaven, il voulait commencer seul ses investigations. De plus les matelots ne seraient pas surpris de la présence du fils du grand patron sur les chantiers de l'agence maritime ; tandis que la vue de Gannon pourrait éveiller les soupçons du coupable, s'il se trouvait parmi eux.

Pour le moment il était donc préférable que l'Américain reste dans l'ombre.

Lorsqu'Axel quitta le Nordsee Hôtel au début de la journée, une brume insidieuse tombait sur la ville. Le brouillard était froid et déprimant. Il remonta le col de son imperméable et traversa la chaussée à la recherche d'un taxi.

Il donna au chauffeur l'adresse du quai Columbuskaje où se trouvait la compagnie maritine de l'I.E.C.. C'est dans cette partie du port que sont amarrés les bateaux du fort tonnage, la profondeur atteignant 15 mètres à marée haute.

Sept compagnies allemandes et étrangères desservent le plus important port de cette partie du continent.

La circulation était difficile les rues étaient encombrées de voitures, de camions et de véhicules divers.

Jamais Axel n'avait imaginé que Bremerhaven pouvait avoir une si fiévreuse agitation.

Enfin, son taxi arriva à proximité des quais. Il fut saisi par le nombre impressionnant des navires qui manœuvraient.

Le building de l'I.E.C. se trouvait dans un espace privilégié, c'est-à-dire isolé des autres bâtiments dont la plupart n'étaient que des hangars. Un va-et-vient incessant régnait dans la grande bâtisse. Axel se dirigea immédiatement au premier étage où se trouvaient les bureaux de la compagnie.

— Puis-je voir Herr Dorman ? demanda-t-il à un homme qui classait des fiches derrière une table.

D'un ton rogue, sans regarder son interlocuteur, l'autre répondit :

— Il n'est pas ici.

— Où est-il ? Je viens de France pour le voir.

L'homme releva la tête. Le visage d'Axel ne devait pas lui être inconnu, car il lui dit :

— Vous êtes de la direction ?

— En quelque sorte...

— Herr Dorman doit assister avec les douaniers au déchargement du cargo *Essen* qui est arrivé ce matin.

Axel sursauta :

— Mais il n'était attendu que demain ?

— Je sais, mais il a pris de l'avance sur son horaire. Faut vous dire que c'est exceptionnel !

Il reprit :

— Si vous désirez rencontrer Herr Dorman, il doit être au bureau de la douane centrale pour signer les papiers.

— Bien, merci, dit Axel en tournant les talons.

Bientôt il se retrouva au milieu des matelots et des mariniers qui circulaient sur les quais :

Il demanda où se trouvait le cargo *Essen*. Un grand blond qui devait connaître tous les emplacements des compagnies, sans hésiter lui dit :

— Au quai 16-A. là-bas au bout de la jetée.

Axel venait de décider qu'il ne verrait pas Dorman, mais le contremaître qui devait assister au déchargement du cargo.

Jouant souvent des coudes pour se frayer un chemin, Elsener parvint enfin devant la masse sombre de l'*Essen*.

Des policiers armés barraient le quai, empêchant l'approche du navire aux étrangers. Des dockers s'affairaient autour des grues qui soulevaient des caisses.

Pour ne pas être refoulé, Axel dû montrer son passeport à un brigadier.

— Où est le contremaître ? cria-t-il.

Un petit homme trapu, en treillis écru, au visage carré sous un calot de laine repoussé à l'arrière de son crâne, se détacha d'un groupe.

— Qui m'appelle ? Qu'est-ce qu'on me veut ? jeta-t-il d'un ton hargneux dans un mauvais allemand.

Axel s'approcha :

— Je suis le fils de votre patron.

L'autre eut un sursaut. Il regarda son interlocuteur d'un air incrédule :

— Quoi... Vous seriez Herr Elsener ?

— Parfaitement.

Le petit homme changea immédiatement de registre. L'obséquiosité remplaça l'arrogance :

— Je suis à votre disposition, Herr Elsener. Que puis-je faire pour vous ?

— Je désire connaître le contenu des caisses que vous êtes en train de décharger.

— Rien de plus facile. Voulez-vous me suivre, Herr Elsener ?

Ils s'engagèrent sur les échelons glissants d'une échelle de coupée et se retrouvèrent bientôt sur un des ponts. Ils traversèrent un espace poisseux, redescendirent un escalier intérieur pour atteindre la cale près du mât de charge.

Sous la surveillance de deux douaniers en uniforme, des dockers attachaient des caisses numérotées aux bras métalliques d'un élévateur, tandis que sur un registre un employé notait chaque colis.

Le contremaître expliqua :

— Aujourd'hui l'*Essen* ne ramène que des fruits exotiques et des produits alimentaires, Herr Elsener. Vous voyez que toutes nos opérations s'effectuent sous la surveillance du gouvernement.

— Je constate en effet que tout se passe dans la plus stricte légalité. Mais je voudrais également visiter l'entrepôt où sont emmagasinées les marchandises que l'on va charger sur le cargo.

Une ombre parût passer sur le visage du petit homme. Néanmoins il répondit en souriant :

— Bien Herr Elsener. Je vais vous conduire là-bas.

Ils refirent, en sens inverse, le chemin déjà parcouru. Sur le quai le contremaître montra du doigt plusieurs hangars qui portaient les insignes de la compagnie maritime.

— C'est dans le prolongement du Columbuskaje.

Ils se frayèrent un passage à travers les chariots, les douaniers, les policiers et les matelots pour arriver jusqu'au premier bâtiment, un immense hangar sombre éclairé par de multiples ampoules électriques.

Dans l'entrepôt, comme sur le quai, des débardeurs plaçaient des coffres sur des wagonnets.

— Voyez, Herr Elsener, ici tout est également en règle. Les caisses sont rangées par catégories et numérotées.

De fait un ordre parfait régnait dans le dépôt.

Comme Axel allait s'engager dans une autre travée, le contremaître fit un pas en arrière :

— Je vais vous demander de m'excuser, mais je dois retourner sur le quai afin de surveiller les débardeurs.

— Je comprends, répondit Axel en le suivant vers la sortie. En tout cas, je pourrai faire un rapport à la compagnie sur votre parfaite organisation. Mais au fait, je ne sais pas votre nom ?

— Peter Liwing.

— Peter Liwing encore toutes mes félicitations.

Le petit homme rougit de plaisir et ajouta en riant :

— Tout ici est tellement surveillé qu'on ne pourrait même pas passer en fraude pour cent dollars de cocaïne...

Axel tressaillit. Cette petite phrase insignifiante venait soudain de déclencher en lui comme un signal d'alarme. Se trompait-il ? Avant de le quitter il serra la main de Peter Liwing.

Il le regarda s'éloigner d'un pas vif, puis, s'assurant que personne ne pouvait le voir, il revint sur ses pas. Il avait été intrigué par le demi-tour soudain du contremaître. Comme deux dockers passaient dans l'allée, il se baissa derrière un chariot.

Bientôt il se trouva au fond de la galerie. Il y avait plusieurs caisses plates qui ne portaient aucune indication. Le couvercle de la première était cloué. Il trouva un levier et se mit en devoir de l'ouvrir. Il ne vit tout d'abord qu'une couverture grise, mais sous celle-ci il découvrit avec stupeur plusieurs fusils et des pistolets.

Tout à coup une voix retentit dans son dos :

— Oui, Herr Elsener tout est parfaitement en ordre.

Il fit volte face : Peter Liwing braquait sur lui un revolver.

Quand Mike émergea de l'inconscience où l'avait plongé le masque de chloroforme qu'on lui avait appliqué sur le visage, son regard errant fixa le mur gris qui s'élevait devant lui. Ce mur était bizarrement éclairé par un projecteur.

Mike était étendu sur le sol et ne pouvait remuer car ses poignets étaient solidement attachés par un cordonnet. Il mit plusieurs minutes à rassembler ses souvenirs.

Puis, comme dans un puzzle, peu à peu ses idées s'imbriquèrent les unes dans les autres pour devenir cohérentes, reconstituant la chaîne des faits...

Tout lui apparut soudain avec une précision de visionnaire. Il revit Gabriella apparaissant sur le quai, armée d'un revolver, et ses sbires s'emparant brutalement de lui, et de son compagnon.

Après ce fut un trou noir... le vide... Sauf ce goût âcre qui lui restait au fond de la gorge, séquelle de cette drogue maudite qu'il avait respirée.

Mais où était-il ?

Il tourna la tête et vit Axel, couché à sa droite, qui lui aussi reprenait ses esprits et tentait de se soulever sur un coude.

— Nous sommes dans un fichu pétrin, constata Elsener d'une voix pâteuse, inhabituelle.

Gannon reprit :

— Si nous avons gagné contre Braun et Orsini, notre situation n'est pas brillante. Notre troisième homme, dont nous ignorons toujours le vrai visage, vient de gagner le score final.

— Nous sommes en vie, tout n'est donc pas perdu ! répondit Axel toujours optimiste.

Au même moment le cri d'un oiseau leur fit tourner la tête. Leurs yeux firent le tour de l'étrange cellule dans laquelle ils étaient prisonniers. C'était une sorte de soute carrée, dépourvue d'ouverture. Aucun meuble, sauf une table de fer sur laquelle se trouvait, chose étrange en un tel lieu, une cage avec deux petits canaris qui sautaient allègrement d'un perchoir à l'autre.

A cet instant, une porte que les deux hommes n'avaient pas remarquée, car elle était comme incrustée dans le mur de ciment, tourna sur ses gonds.

Gabriella en culotte de cheval et bottée de cuir, telle une dompteuse, s'avança sur le seuil.

D'un ton ironique, elle jeta :

— Vous voyez ce qu'il en coûte de vous mêler de ce qui ne vous regarde pas ! et d'être trop curieux ! Notez que ce n'est pas de gaieté de cœur que j'ai été contrainte de vous traiter ainsi. Mais je n'avais pas d'autre solution.

— Pourquoi nous avoir enfermés dans ce cagibi ? demanda Axel.

— Il y avait une manière plus expéditive de nous faire passer de vie à trépas ! jeta Gannon.

Elle se mit à rire.

— Je n'aime pas les solutions rapides. J'aime voir monter l'angoisse sur le visage des condamnés.

— Peut-on savoir comment vous allez nous exécuter ? demanda le Français.

— C'est très simple. Vous allez être lentement asphyxiés. Cette cellule est conçue pour que peu à peu l'air se raréfie. Lorsque ces deux petits oiseaux tomberont au fond de la cage, votre heure sera proche. Voilà pourquoi ils sont là. Ils vont vous avertir de votre trépas.

— Vous êtes machiavélique...

— Peut-être, mais je suis une Asiate. Voyez, « Le jardin des supplices »... dit elle en souriant.

Elle sortit sur cette phrase.

Ainsi Mike et Axel étaient condamnés à une mort lente, irrémédiable ! Les minutes s'écoulaient. Peu à peu ils respirèrent plus difficilement. Les canaris ne chantaient plus. Bientôt ils allaient mourir. Ils entendirent une explosion...

Puis, brusquement, une bouffée d'air frais, venant d'une trappe qui s'était ouverte dans le plafond, frappa leurs visages.

Les petits oiseaux s'ébrouèrent et se remirent à gazouiller tout de suite.

Qu'est-ce que cela signifiait ?

Bientôt Gannon et Axel en eurent l'explication. La porte s'ouvrit sur Gabriella dont les traits révélèrent une sourde fureur... Elle leur cria :

— Un de vos amis est parvenu à lancer une grenade sur le système d'aération. Mais vous n'échapperez pas au sort qui vous attend !

CHAPITRE XVI

Frileusement emmitouflée dans un somptueux manteau de lynx, coiffée d'une toque de la même fourrure, Gabriella, négligemment appuyée contre une des colonnes du hall de l'aérogare, surveillait le tableau de signalisation qui annonçait les arrivées des avions en provenance des quatre coins de la planète.

Düsseldorf est une importante plaque tounante pour le trafic aérien. Enfin le vol 135, venant de Paris, apparut sur l'écran, en pointillés lumineux. L'avion allait atterrir, comme prévu, à vingt heures cinq. Donc, il n'avait pas une minute de retard.

A ce signal des groupes s'ébranlèrent : parents et amis se dirigèrent vers la porte de débarquement.

Gabriella suivit le mouvement. Cependant, ne voulant pas se faire remarquer, elle resta légèrement en retrait de ce flot humain.

Bientôt les premiers voyageurs passèrent devant le bureau des contrôles. Gillard était-il parvenu à obtenir un passage à bord de l'appareil de le Luftansa ? Le flot des arrivants s'écoulait lentement et Gabriella commençait à en douter. Tout à coup elle le découvrit derrière une imposante matronne. Dans son imperméable mastic, avec ses lunettes et son chapeau sombre, il avait l'air d'un minable petit employé. Qui aurait pu dire, en le voyant, qu'il possédait grâce à son honteux trafic, un compte de plusieurs milliards de francs en Suisse, des immeubles achetés en société aux Etats-Unis et dans différents pays d'Amérique latine ?

— Gaby... chuchota-t-il en venant la rejoindre.

Sur le même ton, elle lui répondit :

— La voiture est au parking.

Par prudence concertée, ils n'échangèrent pas un mot en marchant jusqu'au bloc des ascenseurs. Ils se tenaient à distance l'un de l'autre, comme des étrangers.

Ce fut seulement quand ils se retrouvèrent dans la Mercedes qu'elle dit :

— La situation est très grave. Il faut filer au plus vite. Dans quelques heures l'Américain nous aura démasqués.

Il fronça les sourcils.

— Tu t'affoles peut-être à tort.

Avant de mettre le contact, elle répliqua :

— Tu ne sais pas qu'en ce moment le fils de ton patron et son ami sont à Bremerhaven pour surveiller le déchargement de l'*Essen*.

Gillard sursauta :

— Keyer le sait-il ?

Elle haussa les épaules.

— C'est un imbécile. Il a un bandeau sur les yeux. Cependant quand Gannon et Axel lui ont dit que le trafic de la cocaïne devait s'effectuer à bord des cargos de la compagnie, il semblait très ennuyé et spontanément a proposé de faire vérifier les marchandises par des chiens policiers... et de les aider !

— L'imbécile ! lança Gillard.

— Tu l'as dit... Comme crétin on ne fait pas mieux.

— Tu pensais qu'en couchant avec lui tu allais l'endormir et le mener par le bout du nez, ajouta-t-il avec amertume...

Gabriella poussa un soupir :

— Que veux-tu, je me suis trompée. Il est peut-être stupide, mais honnête.

— Alors ça, c'est la fin de tout !

Tout en parlant la Mercedes était sortie du parking et roulait sur la large autoroute. Brusquement, Gabriella mit son clignotant et s'engagea dans la première bretelle de droite.

— Où vas-tu ? s'écria Gillard.

— J'ai téléphoné tout à l'heure au pilote du Falcon de se tenir prêt. Nous nous envolons immédiatement pour Bremerhaven.

Gillard ne répondit rien. Gabriella prenait toutes les

décisions. Il lui faisait confiance. Il connaissait son intelligence, sa ruse et sa prudence.

Dans cette association, elle était la tête, le chef...

Cette fille amorale et ambitieuse n'avait qu'un dieu : l'argent. Aussi avait-elle établi tout un plan pour s'approprier la fortune colossale de Gillard. Elle le détestait physiquement et pourtant elle allait l'épouser. Elle n'envisageait pas un divorce car elle n'obtiendrait qu'une pension dérisoire. Cet homme rusé avait pris ses précautions ! La seule solution était sa mort. Elle hériterait alors de toute sa fabuleuse fortune. Comme il avait le cœur fragile et qu'elle disposait de certains produits orientaux qui ne laissent aucune trace après un décès, elle était tranquille. C'était donc avec sérénité qu'elle envisageait l'avenir.

Elle songeait à tout cela tandis que, dans la nuit, le falcon volait en direction du Nord-Est.

— Ma petite Nicole, tu vas attendre à l'hôtel bien sagement mon retour, avait dit Gannon en quittant le bar.

La gorge étreinte, elle avait demandé :

— Quand seras-tu de retour ?

— Darling, ta question ne peut être que sans réponse. Je te téléphonerai au Nordsee pour te tenir au courant.

Il fit signe à un taxi, déposa Nicole à l'hôtel et donna à son chauffeur ordre d'aller sur le quai des pêcheurs. Axel avait parlé d'une boulangerie qui se trouvait non loin de l'institut des Recherches. C'était une indication. Il fit arrêter sa voiture devant la grande masse du Fischereimuseum, visité par de nombreux touristes. C'était déjà l'heure de la fermeture et plusieurs personnes sortaient du musée de la pêche.

Il suivit une rue rectiligne. Le soir tombait et la pénombre grignotait les façades des maisons. Il tourna dans un passage qui semblait descendre vers le quai. Il buta sur les pavés inégaux et emprunta une autre voie moins étroite et plus accessible.

Alors brusquement, par miracle, il se trouva en face d'une boulangerie dont la vitrine était peinte d'un jaune agressif. Mais était-ce la boutique signalée par Axel ? Il jeta un regard circulaire. Sauf un chat qui traversa la chaussée, l'endroit était désert et assez sinistre. Pourtant une grosse Mercedes métallisée était rangée le long du trottoir. Le luxe de cette voiture détonnait dans ce cadre. Au fait, n'était-ce pas le même modèle qui avait été garé à Düsseldorf devant le Park Hotel quand la bombe avait explosé dans la cage de l'ascenceur ? Il y a beaucoup de voitures identiques ! Néanmoins la coïncidence lui sembla étrange.

Avec prudence il avança jusqu'à la vitrine du magasin, dont les rideaux de fer étaient tirés. Il appuya sur le bec de cane... La porte n'était pas fermée. Il poussa le battant et pénétra à l'intérieur de la boutique plongée dans l'obscurité. Mike distingua une pièce longue et étroite, et un autre local faiblement éclairé par une simple ampoule suspendue au plafond par un fil électrique.

Il fit quelques pas en avant. Plusieurs fours à pains éteints s'alignaient sur sa droite ainsi que des étagères de métal rouillé. La boulangerie était vraisemblablement inutilisée.

Tout à coup Gannon sursauta en découvrant deux jambes de pantalon au fond de la pièce. On l'attendait. Un ennemi sans doute qui l'avait attiré dans un piège pour l'abattre !

Il s'arrêta mais comprit vite son erreur. A la lueur incertaine de la lumière il venait de reconnaître le tissu gris du complet d'Axel. Il cria :

— Me voici !

Il se précipita en se baissant pensant délivrer son ami qui devait être bâillonné et ligoté, mais il s'aperçut que ceci était un trompe-l'œil, une mise en scène. A la même seconde une détonation retentit dans son dos.

Lorsqu'il était entré dans la boulangerie il ne se doutait pas qu'une ombre le suivait, revolver au poing. Le plongeon qu'il fit lui sauva la vie ; la balle passant à quelques centimètres de sa tête s'était écrasée dans un des moules à gâteaux des étagères.

S'accroupissant derrière un chariot sur roues, Mike eut le réflexe de le lancer de toutes ses forces dans les jambes de son agresseur qui perdit l'équilibre et lâcha son arme.

Tout ce qui se passa ensuite fut extrêmement confus... Dans l'obscurité les deux adversaires s'attrapant à la gorge et par les cheveux roulèrent sur le sol.

Gannon habitué à la pratique du judo, se défendait avec méthode, malgré les terribles coups que l'homme lui envoyait sous le menton. D'une habile projection, il parvint à immobiliser le bandit et à l'envoyer au sol. Le visage tuméfié, saignant du nez, Gannon se redressa. Comme l'autre revenait à lui, sans pitié Mike lui envoya un direct dans la mâchoire.

Puis, le secouant, il hurla :

— Pour qui travailles-tu espèce de salopard ? Où est Axel Elsener ?

Mais l'autre était tellement sonné qu'il ne put que baragouiner des mots inintelligibles.

Saisissant les jambes du bandit il le traîna jusque dans la rue. Ne voulant pas abandonner ce personnage dans cet endroit, il décida de le déposer sur le boulevard et de trouver une voiture qui le conduirait à l'hôpital car son état n'était pas brillant.

Au moment où il atteignait la large artère, un autobus s'arrêtait à la station. Un seul passager en descendit. Gannon souleva le blessé et le monta dans la voiture.

Le chauffeur sursauta en voyant cet homme à la face ensanglantée et il protesta violemment :

— Je ne conduis pas une ambulance !

— En effet. Mais je vois que votre car passe devant un hôpital. Cet homme est très mal. Vous allez rentrer au dépôt. Soyez humain ! ajouta Mike.

Sans attendre une autre réaction du conducteur il redescendit du véhicule puis resta un long moment immobile sur le bord du trottoir regardant l'autobus s'éloigner.

Gannon rejoignit la Mercedes. La portière était fermée, cependant il parvint à l'ouvrir. Le compartiment à gants était également bouclé. Il fit sauter la serrure et examina le contenu : une boîte de cartouches, des cartes routières, une enveloppe renfermant un épais paquet de factures...

Il enleva les sièges, vida les poches des portières. Ouvrant le coffre arrière il poursuivit ses investigations. Soulevant le tapis, il le jeta sur la chaussée, tourna le contact de la radio, alluma une cigarette, puis se mit derrière le volant, écoutant la musique de Lohengrin.

Fermant les yeux Gannon songeait : « Où est Axel ? » Il avait reconstitué le scénario. On l'avait attiré au sud de la ville pour l'éloigner des entrepôts de la Compagnie maritime ! C'était là-bas qu'il devait entreprendre des recherches. Il mit le contact, embraya et gara la Mercedes à l'extrémité de la rue.

Sur le boulevard, il arrêta un taxi et cria au chauffeur :
— A Columbuskaje !

Malgré l'heure tardive, de nombreux bistrots étaient ouverts. Il entra dans l'un deux. Des matelots et des dockers étaient agglutinés autour du bar. Il commanda une bière et négligemment demanda où se trouvaient les entrepôts de l'I.E.C..

Un vieux marin le renseigna aussitôt :
— Au bout du troisième bloc.

Le quai étant relativement éclairé, il trouva facilement le grand bâtiment. Une masse noire hostile...

Tout était obscur. Y avait-il seulement un gardien ? Comment pénétrer à l'intérieur de cet immense dépôt ?

Il avait gardé la lampe de poche trouvée dans la Mercedes. Il s'en servit pour casser la vitre d'une des fenêtres, puis tourna la crémone, poussa la traverse et par un habile rétablissement se retrouva à l'intérieur d'un immense hangar.

Projetant devant lui le faisceau de sa lampe, lentement, minutieusement, Gannon examina chaque recoin de l'entrepôt.

Tout à coup un claquement sourd le fit sursauter. Que se passait-il là-bas de l'autre côté de la cloison ? Pour ne pas être surpris il éteignit aussitôt sa lampe, puis, en tâtonnant, reprit sa marche dans les ténèbres.

Il parvint ainsi jusqu'à une porte en fer. Derrière celle-ci il perçut un roulement continu.

Etrange ! Sa main trouva un levier qu'il tira avec précaution. Un plaque glissa. Alors, ce qu'il découvrit, derrière le panneau de métal, le laissa pétrifié ! Une douzaine d'hommes casqués, en tenue de plongée, poussaient devant eux des petits chariots.

Ces êtres, qui semblaient débarquer de quelque mystérieuse planètes, se déplaçaient en cadence comme les danseurs d'un corps de ballet, tandis que sur une plate forme un homme dont Gannon ne voyait que le dos agitait devant lui un bâton blanc, tel l'archet d'un chef d'orchestre. Mais la musique n'était que le cliquetis régulier de roues glissant sur une lisse de ciment.

Il était tard, très tard. Au fur et à mesure que les heures s'écoulaient Nicole devenait de plus en plus nerveuse. Enfermée dans sa chambre d'hôtel, comme une prisonnière, elle marchait de long en large, les yeux fixés tour à tour sur sa montre bracelet et sur l'appareil téléphonique.

« Ils sont en danger », songeait-elle. « Cette attente est anormale... A moins que... »

L'anxiété et l'espérance oscillaient en elle au rythme des alternances.

Des questions s'entrechoquaient en elle. Devait elle déjà payer ces quelques moments de bonheur qu'elle était venue arracher à celui qui, peut être, ne l'avait aimée que par faiblesse ?

Épuisée elle s'était allongée sur le lit. Elle tenait son front appuyé sur ses bras repliés, cherchant dans ce geste dérisoire un apaisement à la douleur qui lui martelait les tempes et lui comprimait le cœur.

Pourquoi Mike l'avait-il abandonnée seule dans cet hôtel ? Dans cette ville inconnue ? Elle aurait pu le suivre et peut être lui porter secours.

Elle se sentait lucide, consciente... mais impuissante.

Ayant assisté à la conversation entre Axel et Mike, elle soupçonna qu'ils avaient dû se rendre au port, à l'endroit où était amarré l'*Essen*.

Quoi faire ? Mon Dieu, quoi faire ?

Et tout à coup la réponse jaillit comme l'éclair qui déchire brutalement le firmament.

Le secours, il ne pouvait venir que de là-bas ! Elle décrocha son téléphone et demanda au standard un numéro à Neuilly, celui du P.D.G. de l'I.E.C., Axel Elsener I.

Lorsque dans le silence qui l'enveloppait Axel ouvrit les yeux en sentant que son corps était froid comme du marbre, une seule pensée s'imposa à lui : il était mort ! La vision du contremaître braquant sur lui son revolver s'imposa brutalement à lui comme une évidence. Son regard errant ne distingua tout d'abord que des ténèbres trouées par des coulées imprécises de lumière.

Puis des bruits confus parvinrent jusqu'à lui. Une douleur lancinante autour de ses poignets le replongea dans la réalité... Il était vivant, mais réduit par des liens qui lui entraient dans la chair, à une immobilité atroce. Il tenta de se retourner car il était étendu sur le sol. Ses yeux, habitués peu à peu à l'obscurité, distinguèrent une petite pièce étroite. Une clarté diffuse tombait d'une fenêtre aux vitres sales. A travers celles-ci il aperçut la silhouette d'un homme qui marchait lentement telle une ombre chinoise qui se découpait sur des projecteurs qui soudainement illuminèrent l'entrepôt.

Parvenant à se redresser Axel découvrit une demi dou-zaine d'ouvriers qui chargeaient des containers sur des chariots qui roulaient en dehors de son champ visuel.

Cependant, faisant un effort presque surhumain il se souleva et put voir des plongeurs vêtus de combinaisons de plongée qui, par une ouverture, disparaissaient derrière une pyramide d'obus soigneusement rangés et entassés.

Avec une impétueuse nécessité d'agir et de s'évader de ce réduit Axel en fixant un des angles de sa geôle vit un établi avec des outils divers et des rouleaux de fil métallique plastifié. Plus loin un pot à café vide posé sur un réchaud et trois boîtes en fer. Avec frénésie Axel tenta de se libérer de ses liens...

Les pas cadencés du gardien trouaient le silence. L'homme marchait nonchalamment, tournant le dos à une caisse à claire-voie. La main enfouie dans une poche il cherchait sans doute à tâtons un paquet de cigarettes, quànd, au même moment, un des plongeurs, se détachant d'un groupe de ses camarades fit le même geste. Alors la porte du réduit s'ouvrit brutalement.

Éberlué, Axel se demanda s'il ne rêvait pas. Gannon un masque de plongeur relevé sur son front, paraissant surgir de la pénombre, asséna un violent coup sur la nuque du gardien qui s'effondra sur le sol comme un pantin désarti-culé.

— Mike... murmura Axel dans un souffle.

— Arriver là n'était pas très difficile, mais comment sortirons-nous de cette souricière, maintenant ?

— J'ai une idée, mais avant libère-moi de mes entraves.

— Elles vont servir à notre prisonnier.

De fait, bientôt l'homme se trouva ligoté, réduit à l'impuissance. Il fixait avec effroi les deux hommes qui se livraient à une étrange besogne. Gannon accroupi tirait la caisse à claire-voie...

— Il y a là-dedans tout ce qu'il faut, dit Axel en retirant de l'emballage des accumulateurs, des explosifs et des grenades.

Intrigué Mike demanda :

— Que fais-tu ?

— Si je pouvais seulement me souvenir de ce que j'ai appris à Polytechnique !

D'une voix incertaine, il poursuivit :

— Avant toute chose je dois surtout me remémorer comment régler un détonateur sur la pendule.

— La pendule ?... Quelle pendule ? demanda son ami sans comprendre.

— Regarde au-dessus de ta tête.

Gannon se retourna : le cadran d'une horloge électrique était accroché contre le mur.

— Veux-tu m'aider ?

Il monta sur la caisse et parvint à arracher le disque électrique. Avec habileté Axel fit les connexions nécessaires.

Gannon ayant mis la main sur un autre vêtement de plongée, jeté dans un coin de l'entrepôt, le passa à Axel. Parviendraient-ils, malgré leurs masques à se mêler aux autres plongeurs ? Tromperaient-ils ceux qui hissaient les containers au moyen de chaînes et de crochets et les descendaient dans une ouverture béante creusée dans le sol ?

Axel et Mike suivirent le premier groupe ; apparemment personne ne les soupçonnait. La camera les guidait à travers l'eau ténébreuse, les plongeurs fixaient leurs containers à la coque du cargo, comme autant de mollusques meurtriers ; Axel et Gannon étaient les derniers. Ils firent la même chose. Les crochets magnétiques se refermèrent avec un claquement sec.

Gannon poussa un soupir de victoire. Ils venaient tous deux de réussir un exploit sans précédent !

Le lendemain matin, les policiers et les douaniers avertis allaient enfin mettre la main sur la drogue, les armes et les munitions qui passaient ainsi en fraude au moyen de ce diabolique procédé.

Le gros bonnet de cet odieux trafic ne pouvait être que Keyer !

Ainsi Gannon venait de réussir un exploit insensé. Un exploit nié par tous ceux qui combattaient ce terrible fléau...

Tandis que méthodiquement il brassait l'eau pour rejoindre le quai, il croyait entendre la voix du lieutenant de police Flack : « Laisse tomber Mike... C'est trop gros pour un homme seul... Tu te feras descendre... »

Quelle revanche !

Il se retourna. Axel qui nageait derrière lui le rejoignit et leva son pouce en signe de victoire. Leurs pensées s'étaient rejointes... Ils avaient gagné !

La nuit était tombée quand ils saisirent chacun l'échelle de corde pour se hisser hors de cette nappe liquide, sombre et visqueuse. L'opacité était totale.

Et puis subitement au moment où ils posaient leurs pieds sur les dalles du quai, un faisceau lumineux balaya la berge. Éblouis par cette lumière insolite, une fraction de seconde ils ne distinguèrent pas Gabriella, debout, entourée par quatre matelots qui braquaient sur eux des « Luger P.08 », cet impitoyable revolver de l'armée allemande.

CHAPITRE XVII

Il était plus de vingt heures lorsque le P.D.G. regagna son hôtel particulier de Neuilly. N'ayant pas eu de nouvelles de son fils, il était de fort mauvaise humeur. En outre Gillard s'était subitement absenté, avant la fin de la journée, sans même l'avertir. Il songeait :

« Je pensais avoir un collaborateur et je m'aperçois qu'il n'est qu'un employé qui, ayant atteint un poste supérieur, se croit tout permis... »

Clarisse qui était mobilisée pour un tournoi de bridge, ne rentrerait pas avant neuf heures. Le P.D.G. entra directement dans son cabinet de travail et, lui qui était généralement d'une sobriété exemplaire, appela Adrien :

— Servez-moi un whisky bien tassé avec beaucoup de glace.

Un peu surpris, le dévoué serviteur, se rendant compte de la nervosité de son maître, s'empressa de répondre à son désir.

Le liquide qu'il avalait lui procurait à la fois un apaisement et un dégoût. Au fond, il détestait l'alcool ; mais en ce moment il avait besoin d'un exutoire. L'attitude désinvolte de son fils soulevait non seulement sa colère mais aussi son anxiété. Dans quelle aventure s'était-il lancé avec Gannon ? Inutile de raisonner ce garçon qui avait dans le sang le goût du risque et qui, à l'époque de Jean Bart, aurait certainement été corsaire !

Clarisse n'avait-elle pas raison de lui reprocher la dureté avec laquelle il l'avait élevé ? Il voulait maintenant se libérer de son joug.

Trois ou quatre images du passé surgirent sans sa mémoire. L'une d'elles surtout. L'enfant venait d'avoir onze ans — il était le plus jeune de sa classe au collège Sainte-Croix — quand, revenant avec son bulletin scolaire, son père constata qu'il était troisième en math. Elsener I s'était alors écrié : « C'est une honte... Tu dois toujours être le premier ! A Noël au lieu de partir faire du ski, tu resteras ici et travailleras chaque jour tes maths ! »

L'enfant serrant les lèvres, les yeux embués de larmes, n'avait rien dit. Cependant, le résultat avait été probant, le trimestre suivant Axel II était premier.

Plus tard, cet événement oublié, n'avait-il pas dit à son père : « Je veux me battre... pour partout être le meilleur... toujours le meilleur... »

Il était sorti major de Polytechnique, parce que, par jeu, il aimait les compétitions. Au fond, c'était vrai et faux... Mais aujourd'hui, tout devait sans doute être remis en question. Gannon n'était-il pas comme Axel II une tête brûlée ? Où se trouvaient en ce moment les deux amis ? Ils avaient certainement quitté la Suisse.

Depuis plusieurs jours Clarisse était anormalement nerveuse. Néanmoins elle ne disait rien, mais elle souffrait de ce silence.

Le P.D.G. alluma son cigare préféré. Il suivit des yeux le ruban de fumée bleue qui montait vers le plafond. Ses pensées revinrent à son fils.

Le plus triste dans cette histoire, c'était que lui, Axel I, avait promis à Gannon de l'aider quand il lui avait parlé de son projet... Pour accompagner le journaliste et participer à cette enquête, son fils avait sauté sur cette occasion pour se défouler de son labeur quotidien et mener cette vie aventureuse qu'il adorait... Maintenant, avec le recul, le magnat de l'industrie se rendait compte que c'était une entreprise non seulement terriblement dangereuse, mais presque impossible !

Comment parvenir à faire arrêter le chef suprême d'un des plus puissants réseaux de drogue ? Cet homme avait partout des espions, il n'hésiterait pas à faire abattre ceux qui deviendraient dangereux pour la pratique d'un aussi lucratif trafic.

Le grand patron venait de terminer son cigare et l'écrasait

dans un cendrier de bronze posé devant lui, lorsque Clarisse entra dans la pièce.

Dans sa hâte elle ne s'était pas débarrassée de son manteau.

— Excuse-moi d'être en retard pour le dîner, mais un tournoi de bridge vous entraîne toujours beaucoup plus longtemps qu'on ne le suppose.

Elle se baissa pour poser son sac sur la table. En se penchant, la lumière de la lampe chinoise proche tomba sur son visage.

Il fut frappé de voir son expression anxieuse.

D'une voix qu'elle s'efforçait vainement de raffermir elle demanda :

— As-tu de ses nouvelles ? T'a-t-il téléphoné ?

Il secoua la tête et, voyant les traits soudain décomposés de son épouse, il passa son bras autour de ses épaules :

— Ma chérie, ne t'inquiète pas. Tu le connais, il est si indépendant !

— Axel, j'ai peur ! Un pressentiment sans doute... mais j'ai peur ! J'ai terriblement peur !

Elle se mit à trembler et il vit des larmes au fond de ses grands yeux.

— Clarisse, tu t'inquiètes à tort. Dans deux jours, il sera ici. C'est un garçon qui malgré tout ne perd pas de vue son devoir. Nous l'attendons au bureau. Il doit partir pour l'Argentine. Il ne nous fera pas faux bond.

Malgré ces paroles rassurantes, Clarisse toucha du bout des lèvres aux plats du dîner. Elle était tendue et affreusement angoissée.

Lorsqu'ils quittèrent la salle à manger, avec sollicitude son mari lui conseilla d'aller se reposer :

— Je ne tarderai pas à te rejoindre, mais je veux avant relire un rapport sur notre firme du Canada.

Le cartel posé sur la haute cheminée de marbre venait d'égrener onze coups cristallins et le P.D.G. allait remonter rejoindre son épouse lorsque la sonnerie du téléphone retentit :

Fébrilement il décrocha l'écouteur en songeant : « Enfin il m'appelle ! ».

De fait une voix parlant allemand — la standardiste d'un hôtel sans aucun doute — demanda :

— Vous êtes Herr Elsener ?

— Parfaitement...

— Alors ne quittez pas. On vous parle.

Avec stupeur il reconnut aussitôt la voix de sa nièce, qu'il croyait à Londres pour un vernissage.

— Quoi ! Nicole ! Que se passe-t-il ? Je ne comprends pas ce que tu me dis. Parle plus lentement.

Attentivement, dans un silence religieux, il écoutait les explications d'abord confuses, puis précises que lui donnait Nicole. Mais au fur et à mesure qu'elle parlait, les joues d'Elsener se creusaient, des plis de plus en plus profonds barraient son front.

Oui... J'ai compris... Tu es à l'hôtel Nordsee. Bien... J'arrive immédiatement.

Il reposa l'écouteur, mais aussitôt composa sur le cadran un numéro :

— Charles... Prépare l'appareil. Dans une demi-heure je serai sur le terrain. Préviens la tour de contrôle nous nous envolons pour l'Allemagne... Bremerhaven... Fais le nécessaire... A tout de suite.

Tout se passa après avec une vitesse stupéfiante. Il trouva Clarisse en déshabillé sur le seuil de sa chambre. Elle était livide :

— J'ai entendu la sonnerie du téléphone. Ce n'était pas lui ? Tu m'aurais appelée ! C'est grave ? Il est en danger ?

Sans répondre à sa question, il l'étreignit tendrement :

— Ma chérie... calme-toi ! Je dois partir cette nuit même. Demain matin je te téléphonerai.

Elle eut un regard pathétique en le voyant s'éloigner.

Il était plus de minuit et l'*Essen* sortait du port. Il naviguait lourdement à travers une mer très agitée.

Sous la menace des « Luger » Axel et Mike avaient été contraints de monter à bord. Ils se trouvaient maintenant dans la cabine du commandant, pieds enchaînés, mains liées dans le dos.

Gabriella, narquoise, était venue contempler ses prisonniers. Mais avec hauteur ils la dédaignaient.

— Quelle malchance pour vous ! Je suis navrée en songeant à la fin qui vous est réservée.

Elle portait un fourreau de velours grenat brodé d'or. Elle

se savait belle et prenait un plaisir sadique à jouer avec son corps. Elle regarda Gannon et lui dit :

— Je n'ai pas oublié le baiser que vous m'avez donné en quittant le restaurant. En avez-vous conservé le souvenir, Mike ?

Comme il feignait de ne pas l'entendre, elle jeta :

— Si vous aviez été plus tendre, votre destin aurait pu être différent. Vous me plaisez terriblement et même maintenant !

Fermant les yeux, la bouche entr'ouverte, elle s'approcha de lui et lui tendit les lèvres. Mais il tourna la tête.

Alors, elle posa ses mains aux ongles carminés sur son épaule et, telle une vipère, s'écria avec rage :

— Vous êtes un beau salaud ! Un fils de p...

Froidement Mike rétorqua :

— Réservez ces qualificatifs à Wolf Keyer votre amant, cet affreux trafiquant !

Elle se mit à rire, un rire hystérique :

— Wolf est peut-être un de mes amants. Mais celui qui comble tous mes désirs et que je vais épouser, ce n'est pas lui...

Axel et Mike eurent un sursaut d'étonnement. Elle reprit :

— Cela vous surprend. Cet affreux trafiquant comme vous dites, vous allez le voir. Je pense, Axel Elsener, que vous n'allez pas en croire vos yeux.

— Vous bluffez !

Elle haussa les épaules et continua d'un ton sarcastique :

— Nous partons ensemble à bord de ce bateau pour l'Amérique du Sud, avec ses milliards. Il est assez riche pour ne plus travailler à la firme Elsener.

Elle avait à peine prononcé cette phrase que la porte d'acajou de la luxueuse cabine s'ouvrit sur Gillard.

Oui Gabriella avait raison, la stupeur d'Axel dépassait tout ce qu'il aurait pu imaginer.

Il s'écria :

— Vous !... vous !... Ce n'est pas possible...

D'une voix calme, sans inflexion, le collaborateur de l'I.E.C. dit :

— Axel pourquoi avez-vous commis la folie de rechercher avec votre ami le chef du réseau que je dirige ? Je suis désolé d'être obligé de vous supprimer car j'ai pour vous de l'affection.

L'indignation submergea Axel :

— Je vous en prie... Cessez cette plaisanterie !

L'autre s'exclama :

— Libre à vous de ne pas me croire. Pourtant, je tenais à vous dire que j'ai toujours été honnête vis-à-vis de votre compagnie.

— En somme, si je comprends bien, vous êtes un homme intègre ! railla Axel.

— Toute l'immense fortune que j'ai amassée n'a jamais spolié la firme. Pourquoi faut-il qu'un commerce que l'on dit illicite, mais qui ne lèse personne, soit un tabou interdit ? Les lois sont mal faites !

— Pour moi, vous êtes un bandit.

— Et un assassin, ajouta Gannon.

Gillard protesta avec véhémence :

— Je n'ai jamais tué personne.

— Sauf les centaines ou peut-être les milliers de malheureuses victimes à qui vous fournissiez de la cocaïne.

— N'avez-vous pas songé Gillard que tout se paie ici-bas ? reprit Axel. Nous allons peut-être mourir tous les deux, car après vous avoir démasqué vous n'avez pas d'autre solution, mais, croyez-moi, nous serons vengés.

Gillard, qui visiblement n'appréciait pas cette conversation, sortit de la cabine. Gabriella se tourna vers les prisonniers :

— Croyez que je suis navrée d'un tel dénouement. Mais vous avez agi comme des enfants de chœur. Remerciez pourtant le ciel, je déteste les exécutions sanglantes. Alors à l'aube, vous allez faire un beau voyage... Le dernier hélas... Bye... Bye...

Elle éclata d'un rire sadique, un rire de démente. De la main, elle leur envoya un baiser et disparut derrière le battant de la porte.

Ce n'était cependant qu'un faux départ. Quelques minutes après la poignée de cuivre bascula lentement et la belle Eurasienne apparut. Elle posa un doigt sur les lèvres pour imposer silence aux prisonniers qui la fixaient avec étonnement.

Elle avait troqué sa tunique de velours contre une robe de mousseline crème fendue jusqu'à la taille, tenue singulièrement suggestive et qui, voilant à peine son corps de déesse, montrait clairement ses intentions.

212

Ses yeux obliques regardèrent tour à tour les deux hommes, puis baissant la voix elle dit :

— J'ai dû, devant Gillard, jouer une ridicule comédie. Mais ici, je suis maîtresse à bord et je peux disposer de vos destinées.

— A quel prix ? Je présume qu'il s'agit d'un marché, jeta Axel d'un ton mordant.

— Effectivement, nous allons conclure un marché, car dans la vie tout se paie.

Elle sourit et poursuivit :

— Inutile de vous dire que si Gillard est pour moi un précieux associé, il n'est pas l'amant idéal. Or, je veux être aimée par un bel homme !

Elle s'approcha de Gannon :

— Je suis prête à ne plus me souvenir de l'affront que vous m'avez infligé en sortant l'autre soir du restaurant. Je sais que vous êtes libre. Moi-même je suis prête à me débarrasser discrètement de celui qui, en ce moment, encombre mon existence. Inutile de vous dire qu'en pleine mer, c'est facile ! Je me suis assurée par avance tout son héritage. Le marché que je vous offre Mike Gannon est donc assez séduisant, ajouta-t-elle avec une expression démoniaque.

L'Américain eut un haut-le-corps et rugit :

— Vous êtes une ordure...

Elle se pinça les lèvres puis leur lança :

— Vous faites bon marché de votre vie !

Elle se tourna alors vers Axel :

— Si votre ami vient de refuser mon offre, sachez qu'elle est valable pour l'héritier Elsener !

— Je crois que vous plaisantez.

L'attitude d'Axel était tellement méprisante qu'elle tressaillit :

— Je vous croyais intelligent, or, je constate que vous n'êtes qu'un imbécile.

— Et vous la créature la plus répugnante que j'ai jamais rencontrée.

Elle se redressa et ajusta l'épaulette de sa robe qui, ayant glissé, découvrait les rondeurs provocantes de sa gorge, puis, rejetant la tête en arrière, elle éclata d'un rire hystérique :

— Faut-il, tous les deux que vous soyez imbus de vous-même pour avoir pu prendre au sérieux mon offre !

S'adressant à Gannon, elle continua ; tandis que ses prunelles jetaient un éclair métallique :

— Croyez-vous donc que je puis pardonner un affront ? Sale journaliste américain, je vous hais comme je n'ai jamais encore haï un être !

— Alors pourquoi avoir joué cette dégradante comédie ? railla Gannon.

— Pour qu'après vous avoir donné l'espoir de vivre je puisse jouir plus âprement de votre agonie. Je vais appeler des matelots qui vont vous transporter sur le pont. Les heures vont vous paraître longues avant l'aurore.

Elle sortit sur ces paroles.

Telle une flèche d'acier le supersonique déchirait la nuit opaque...

A l'Est les nuages devenaient menaçants.

En décollant, la tour de contrôle avait averti Charles, le pilote — un petit homme trapu qui avait fait ses preuves — que la météo serait exécrable.

Qu'importe ! L'appareil d'Axel Elsener savait foncer dans la tourmente et se jouait toujours des éléments déchaînés. Cependant sous les rafales de vent qui devenaient de plus en plus rudes l'avion tanguait. Une pluie diluvienne frappait durement le plexiglas de la cabine de pilotage.

— Saloperie de temps ! constata le P.D.G.

— Ce n'est pas du gâteau, répondit Charles. Mais rien ne nous retardera, Patron. Je connais le zinc. Il est O.K.

Malgré son assurance Charles avait les nerfs tendus. Des gouttes de sueur perlaient à ses tempes.

Il sortit un mouchoir de sa poche et s'épongea le front, tout en surveillant sur le tableau de bord les différents signes lumineux qui s'y inscrivaient et surtout l'aiguille de l'altimètre.

Ils volaient depuis plus d'une heure en direction du Nord-Est, suivant les indications des différentes tours de contrôle qui, depuis leur départ, les avaient pris en charge.

Imperturbable, le magnat de l'industrie qui savait également piloter, avait mis comme Charles ses écouteurs, et craignait seulement qu'avec ce temps de chien, l'avion ne dérive loin de Bremerhaven. Il fallait à chaque instant s'assurer de la position de l'appareil.

Tout à coup le bruit sec de la grêle contre les hublots remplaça les claques de la pluie.

« Il ne manquait plus que ça... » songea l'industriel. Mais brusquement le supersonique qui trouait l'air ou se cabrait lorsqu'il traversait des courants ascendants parut se jouer des remous d'air. La tempête s'était miraculeusement apaisée.

L'œil de Charles qui venait de fixer la fréquence radio, s'écria :

— Patron... Nous n'avons pas dérivé d'un poil. Nous arrivons !

Ayant exprimé sa satisfaction, il lança aussitôt l'appel à la tour de contrôle.

— Nous avons priorité, dit le pilote en allumant les feux d'atterrissage.

L'appareil descendit par paliers. La nuit qui les environnait se dissipa peu à peu. Bientôt apparurent au loin les quadrilatères lumineux des pistes, ces lignes brisées et ces dessins géométriques qui donnent aux avions leurs mystérieuses indications de vol. Toutes les illuminations de la grande cité apparurent alors sous eux comme sur un gigantesque écran magique.

Le supersonique se posa sans problème sur la piste qui lui était assignée... A peine l'appareil fut-il arrêté qu'une voiture vint se ranger à proximité.

C'était une limousine de luxe qui par faveur spéciale avait pu venir chercher sur le terrain l'industriel français.

La consigne donnée par téléphone avant de quitter la France avait été respectée.

— Au Nordsee Hôtel, Naber, cria Axel Elsener I au chauffeur allemand en s'engouffrant dans l'auto.

Le trajet de l'aéroport au centre de la ville — cette immense métropole portuaire située au confluent de la Geeste et du Weser — parut terriblement long au P.D.G.

De chaque côté du véhucile, les lampadaires glissaient régulièrement, tâches d'ombres et prismes de lumière, comme un décor surréaliste.

Il voyait défiler les maisons spécifiquement allemandes comme les bâtisses de quelque cité fantôme. Lorsqu'il arriva enfin à la place du théâtre, son impatience était à son

215

paroxysme. Il n'eut pas besoin de demander sa nièce au veilleur de nuit. Depuis plus d'une heure celle-ci guettait l'arrivée de son oncle dans le hall de l'hôtel.

En pleurant elle se jeta dans ses bras :

— En téléphonant de tous les côtés, j'ai pu obtenir quelques renseignements. Axel et Mike avaient l'intention de se rendre à bord de l'*Essen*. Or, le cargo a levé l'encre avant deux heures du matin.

La décision du magnat de l'industrie fut rapide :

— Pour le rejoindre, un seul moyen, un hélicoptère ! Nicole, attends-moi ici. Je vais tenter l'impossible !

Lorsqu'il arriva à l'héliport, la radio annonçait qu'une terrible explosion venait de pulvériser l'*Essen*. Le visage du P.D.G. devint livide, cependant d'une voix ferme, il dit au pilote :

— Nous partons.

Le petit jour pointait. Les vagues étaient de plus en plus fortes. Le brouillard, morcelé par paquets, était poussé devant l'*Essen* comme par un balayeur invisible.

Depuis de longues heures, les prisonniers, abandonnés sur le pont, regardaient fixement la surface houleuse de la mer qui allait devenir leur linceul.

Sur l'ordre de Gabriella les matelots les avaient transportés près de la coupée. Si, à force d'énergie, bandant leurs muscles, ils étaient parvenus à desserrer les cordes qui liaient leurs poignets et qu'ils pourraient plus facilement dégager lorsqu'ils seraient jetés à l'eau, il leur avait été impossible d'ôter les cercles de fer qui rivaient leurs chevilles.

Gannon était envahi par le remords d'avoir entraîné Axel dans cette aventure tragique. Il acceptait avec sérénité la mort pour lui, mais pas pour son jeune ami. Il songeait aussi à Nicole. Des images surgissaient dans sa mémoire. Son passé se déroulait comme dans un film. Son enfance... son mariage avec Janet... puis Meg... Meg... Allait-il la retrouver ? C'était peut-être elle qui était venue le chercher par la main...

« *Dad... pourquoi voulais-tu me venger ?... C'était inutile... La vie n'est pas si longue... Je suis partie plus vite que les*

autres voilà tout... L'existence n'est qu'une compétition...
Notre point de départ est le même pour tous... Mais il y a des
accidents de parcours... Tu avais le droit d'être heureux avec
Nicole... Toi qui n'as jamais connu le vrai bonheur... »

Il croyait entendre sa voix et des larmes embuèrent ses
yeux.

Les pensées d'Axel étaient différentes ; elles convergeaient
vers un seul point :

« Pourvu que cette bande de salopards ne vienne pas trop
tard nous flanquer dans la flotte ! Je ne voudrais pas sauter
avec eux sur cette galère ! » se disait-il en songeant qu'il
avait réglé la pendule du détonateur sur cinq heures...

Plein de confiance en lui-même, né optimiste, il était
persuadé que dans l'eau — leurs mains étant libres — Mike
et lui, deux excellents nageurs, pourraient avoir une chance
de s'en tirer.

A l'est, l'aube blanchissait l'horizon. Des pas retentirent
sur le pont. Des hommes taillés comme des malabars
s'avançaient. A la clarté livide du petit jour, leurs faces de
brutes disaient qu'ils devaient ressentir un certain plaisir
sadique à accomplir leur sinistre besogne. De fait, tout
d'abord ils s'emparèrent avec rudesse de Gannon, l'un le
tenant sous les aisselles, l'autre par les pieds. Ils le lancèrent
comme un paquet par-dessus le bastingage. Puis ce fut le
tour d'Axel...

Fermant les yeux celui-ci se sentit disparaître comme une
pierre dans l'élément liquide. Cependant, grâce à ses mains
libérées, il put remonter à la surface.

Il y avait des vagues et il mit plusieurs minutes avant de
découvrir Mike qui se trouvait à une cinquantaine de mètres
de lui. Ils avaient échappé à l'attraction des turbines qui
pouvaient les attirer contre la coque du cargo et les broyer !

Masse sombre l'*Essen* s'éloignait dans l'aube grise...

Toussant et crachant l'eau salée, nageant presque debout,
les deux malheureux étaient parvenus à se rejoindre malgré
les chaînes qui entravaient leurs jambes.

Les vagues de plus en plus méchantes les bousculaient
violemment. L'angoisse cependant contractait leurs muscles
car les liens d'acier qui garrottaient leurs chevilles les
fatiguaient énormément.

Trouvant malgré tout le moyen de plaisanter, Axel fit un
effort pour hurler au milieu du fracas des eaux :

— Il était temps qu'on nous bascule dans la flotte ! Tu vas assister à un merveilleux feu d'artifice.

Quelques minutes s'écoulèrent et le cargo, qui avait disparu dans la brume qui traînait sur les flots, n'était plus dans le champ visuel des naufragés. Soudain, un bruit semblable à celui d'un bombardement, suivi d'un coup de tonnerre infernal déchira leurs tympans ! Détonation assourdissante venue d'un autre monde... Une énorme boule de feu trouait l'horizon.

— C'est ma bombe ! cria Axel le visage transfiguré.

Des explosions successives retentirent tandis que l'énorme bâtiment sombrait dans un mur de flammes et de fumée.

Seuls maintenant, épuisés, les deux malheureux se trouvaient à une centaine de miles de la côte. Toutes chances de secours semblaient bien problématiques. Allaient-ils couler ? Ils se mouvaient à présent au milieu des débris de toutes sortes, dans une eau glauque, recouverte de mazout.

Tout à coup, les yeux fatigués et brûlants de l'Américain doutèrent alors de ce qu'ils voyaient.

Comme une baleine, fendant les flots, un des containers perçait la surface de la mer. Puis un second... Puis un troisième...

— Axel... Axel... Regarde... Un miracle...

L'autre s'exclama :

— Un miracle ? Imaginé par moi !

Le Français tentait de s'approcher non sans peine de cette masse flottante. Plus heureux, Gannon était parvenu à s'accrocher à un des engins, mais plusieurs fois, ses doigts engourdis par le froid glissèrent sur le métal. Lorsqu'il put enfin s'agripper il cria :

— Axel... Tu es peut-être un propre à rien et un snob, un destructeur de femmes ! Mais tu es le plus grand génie que le monde ait jamais connu ! Les containers que tu transportais étaient vides...

Crachant l'eau salée, Axel répondit :

— Aurais-tu oublié que ce n'est pas pour rien que je suis sorti major de Polytechnique ?

— Nous sommes sauvés ! poursuivit le journaliste.

— Si un bateau nous découvre, répondit son compagnon brusquement beaucoup moins confiant.

Malgré tout son courage, un engourdissement le paralysait. Sa volonté peu à peu s'émoussait. Son désir de vivre et de mener une lutte farouche contre les éléments déchaînés s'estompait. Pour la première fois de son existence il avait l'impression d'être battu. Le froid, telle une pesanteur intérieure montait jusqu'à sa nuque. Il devait faire un effort constant pour ne pas lâcher la bouée providentielle qui le soutenait.

Surtout ne pas dormir... Rester ludice... Comme c'était difficile !

Le jour s'était levé. Mais c'était un jour terne, gris et pluvieux. Cependant le vent s'était calmé. Et puis ce coin de mer semblait désertique ! Pas une embarcation...Où étaient donc les petits bateaux des pêcheurs ?

D'ailleurs comment un navire pourrait-il découvrir ces deux points minuscules perdus au milieu des lames profondes ? Il aurait fallu un prodige... Une chose impossible... Or, après une heure, ballottés par les vagues, aveuglés par les embruns, les membres engourdis par le froid, alors qu'ils allaient l'un et l'autre renoncer à se battre, l'événement inespéré... imprévu... celui de la dernière chance, se produisit. Le ronronnement d'un moteur d'hélicoptère qui volait à basse altitude sembla tout à coup transpercer leurs oreilles.

Était-ce une équipe de secours qui, après l'explosion du cargo, recherchait d'éventuels survivants ?

Levant la tête Axel se demanda s'il ne rêvait pas. Il venait de reconnaître la cocarde du Super Frelon de l'I.E.C.

Il poussa un véritable rugissement :

— Mike... Mike... Nous sommes sauvés !

De fait, l'appareil faisait un large cercle autour d'eux. Le pilote les avait vus.

Il ne surent jamais comment ils furent hissés tour à tour à bord de l'hélicopère, mais leur étonnement éclata lorsqu'ils se trouvèrent en face du P.D.G.

— Père... Toi ici...

Incrédule, Axel regardait le grand patron, se demandant s'il n'était pas le jouet d'une hallucination.

— Absolument incroyable !... Par quel miracle êtes-vous ici ? ajouta Gannon.

— Le miracle s'appelle Nicole. C'est elle qui m'a téléphoné.

Nicole... Chère petite Nicole... Mike ferma les yeux... Deux fois elle lui avait sauvé la vie. N'était-elle pas son destin ?

Après avoir écouté le récit de leur odyssée, plus ému qu'il

ne voulait le laisser paraître, le **P.D.G.** regardant son fils lui
lança une boutade :

— Vois-tu mon garçon, je suis bien content que tu t'en
sois sorti, car nous avons de sérieux comptes à régler !

— Des comptes... Quels comptes ?

— Crois-tu que tu vas rester devant moi, comme un
gamin qui vient de me jouer un tour ? Il va falloir
maintenant te mettre sérieusement au boulot. L'*Essen* a
coûté un billion de dollars. Je devrais t'enlever chaque
centime de ton salaire.

— Décidement Dad... tu ne changeras pas... Tu auras
toujours le dernier mot !

Le dernier mot, ce ne fut pas le P.-D.G. qui l'eût, mais Amy
Mac Kenzie qui, sortant comme un diable d'une boîte,
bondit sur Gannon, un magnétophone à la main, lorsque
l'hélicoptère se posa sur le terrain de l'aéroport :

— Mike... Mike... Il paraît que vous venez d'accomplir un
exploit fantastique ! Je veux pour mon journal l'exclusivité
de votre récit.

— Je suis désolé, Amy, mais vous arrivez trop tard.

— Trop tard ? Mais c'est impossible !

— Impossible... Pourquoi ?

— Parce que vous me devez bien quelque chose. Regardez...

Elle souleva l'écharpe qu'elle portait sur le bras. Il vit
qu'elle tenait à la main une petite cage contenant deux
petits canaris...

— Quoi... fit-il sutpéfait... C'était vous ?

Elle lui sourit :

— Oui c'est moi qui vous ai suivi... et au péril de ma vie ai
lancé la grenade, cette fameuse grenade qui déteriora
définitivement le système d'aération de votre cellule.

Plus ému qu'il ne voulait le laisser paraître, Gannon serra
fougueusement Amy contre lui et lui donna un long baiser,
un baiser que désespérément elle attendait depuis si
longtemps.

Éperdue elle balbutia :

— M'aimez-vous, Mike ?

— Oui, darling...

Comment en cette minute aurait-il pu lui dire le
contraire ? Certes il était très bouleversé devant le courage

d'Amy, mais il songeait à Nicole, à Nicole qu'il allait rejoindre et qu'il ne pourrait jamais oublier...

D'un pas rapide il se dirigea vers la voiture qui l'attendait.

La pluie avait cessé... Un soleil timide perçait les nuages... La journée s'annonçait glorieuse.

Cet ouvrage a été composé
et imprimé par Aubin, à Ligugé

pour le compte des Éditions de Fanval
20, rue des Carmes, 75005 Paris

diffusion France et étranger : Flammarion

Achevé d'imprimer en août 1984

Dépôt légal : septembre 1984
N° d'édition : 8200. N° d'impression : L 16964

Imprimé en France